Receitas Dukan

Minha dieta em 300 receitas

Dr. Pierre Dukan

Autor do best-seller
Eu não consigo emagrecer

Receitas Dukan

Minha dieta em 300 receitas

Tradução
Ana Adão

7ª edição

Rio de Janeiro | 2014

CIP-BRASIL. CATALOGAÇÃO NA FONTE
SINDICATO NACIONAL DOS EDITORES DE LIVROS, RJ.

Dukan, Pierre, 1941—
D914r Receitas Dukan / Pierre Dukan; tradução: Ana Adão. — 7ª ed. — Rio de
7ª ed. Janeiro: Best*Seller*, 2014.

Tradução de: Les recettes Dukan
ISBN 978-85-7684-239-2

1. Dukan, Pierre, 1941–. 2. Hábitos alimentares. 4. Emagrecimento. 5. Dietas de emagrecimento — Receitas. I. Título.
13-1136 CDD: 613.25
CDU: 613.24

Texto revisado segundo o novo Acordo Ortográfico da Língua Portuguesa.

Título original francês
LES RECETTES DUKAN

Capa: Sense Design
Editoração eletrônica: FA Studio

Impresso no Brasil

ISBN 978-85-7684-239-2

Seja um leitor preferencial Record.
Cadastre-se e receba informações sobre nossos lançamentos
e nossas promoções.

Atendimento e venda direta ao leitor:
mdireto@record.com.br ou (21) 2585-2002

Sumário

Para que a minha dieta se torne a sua dieta 7

As proteínas que são o motor da minha dieta 15

Os pratos à base de proteínas puras 35

- As aves 35
- As carnes 49
- Os ovos 51
- Os peixes e frutos do mar 58
- As panquecas 70
- As sobremesas 73

Os pratos à base de proteínas e legumes 89

- As aves 89
- As carnes 106
- Os ovos 118
- Os peixes e frutos do mar 126
- Os legumes para acompanhamento 154
- As sobremesas 183

Os molhos 192

Index de receitas 203

Agradecimentos 209

Para que a minha dieta se torne a sua dieta

Quando entreguei o manuscrito do livro *Eu não consigo emagrecer* ao meu editor, estava consciente de ter dado o toque final ao trabalho de uma vida; de oferecer a mim mesmo, antes de mais nada, a meus pacientes e, enfim, a meus leitores um método de luta contra o sobrepeso, o meu método, construído ao longo de trinta anos de práticas diárias.

Minha entrada no mundo da nutrição começou por uma inovação que me valeu a indignação de meus colegas da época, iniciadores e defensores indomáveis da dieta hipocalórica, da pesagem de alimentos e das pequenas quantidades. Eu havia inaugurado a dieta das proteínas alimentares.

Eu era muito jovem e poderia facilmente ter me dado por vencido se a eficácia, a simplicidade e a perfeita adaptação da dieta ao perfil psicológico do obeso não me tivessem confortado pelo caminho e atado o mastro de meu veleiro em plena tormenta.

Tenho uma natureza engenhosa, curiosa e criativa — o que me fez usar tais dons no território que conheço e mais tenho prática: a relação dos homens com seu próprio peso. Ao longo dos anos, concebi e pacientemente ajustei a dieta no contato cotidiano com meus pacientes, em um ir e vir incessante de medidas cheias de tato, das quais conservava tão somente o que melhorava a eficácia e a tolerância dos resultados obtidos a curto, médio e, sobretudo, a longo prazo.

Assim, construiu-se o que hoje é o meu método, cuja ressonância, extensão e depoimentos positivos de meus leitores dão sentido à minha vida. Quaisquer que possam ter sido minhas esperanças e minhas ambições ao escrevê-lo, nunca poderia imaginar o acolhimento de um público tão inacreditavelmente grande, que o levou a ser traduzido e publicado em países tão distantes quanto a Coreia, a Tailândia ou a Bulgária.

A difusão desta obra deve muito pouco à comunicação e absolutamente nada à publicidade.

Estranhamente, este livro foi vendido de forma natural, passando de mão em mão, de fórum de discussão em fórum de discussão e, há pouco tempo, de médico em médico.

Disso, concluí que havia um elemento que me escapava, um elemento feliz e audacioso que, para além da ação puramente nutricional, deixava transparecer minha presença enquanto terapeuta, com sua empatia, energia, compaixão.

Recebi, desde a publicação, um número muito grande de cartas, depoimentos de resultados, cartas de elogios e agradecimento, mas também cartas com críticas e, enfim, algumas outras com sugestões construtivas. Entre as últimas, era calorosamente pedido que fossem adicionadas um leque de opções de exercícios físicos e um novo *corpus* de receitas. Este livro foi escrito para satisfazer ao último desejo e me comprometo a satisfazer ao segundo imediatamente depois.

Neste livro consagrado às receitas ligadas à minha dieta e suas prescrições, tive acesso à inventividade e à participação de todos os que, com meu método, tiveram de redobrar sua engenhosidade para adaptar minhas receitas.

Para os que não conhecem nem meu plano, nem minha dieta, saibam que todo o meu método se baseia em duas grandes famílias de alimentos:

- os alimentos ricos em proteínas animais.
- os legumes.

Essas duas categorias são, para mim, a base da alimentação humana. Tenho como prova o fato de que foram eles que constituíram o berço alimentar de nossa espécie, há cerca de cinquenta mil anos.

A aparição de uma espécie é um longo trabalho de adaptação da reciprocidade entre a que vai nascer, da precedente e seu ambiente: um encontro entre um código genético buscado e um ambiente pronto para acolhê-lo.

É inconcebível que uma espécie surja em um espaço geográfico que não lhe traz exatamente aquilo de que precisa. Se houve UM momento na história de nossa espécie em que o nosso sistema digestivo e os alimentos disponíveis estavam em perfeito acordo, esse momento foi o de nossa aparição na Terra.

Esse dado é tudo, menos um detalhe: é o próprio coração do meu método, a busca de referências no território da alimentação humana, em que reinam a crença em nossa adaptabilidade infinita e nosso status de animais onívoros.

Ora, não é assim: existem alimentos mais humanos, mais fundadores que outros, e isso não é um passo ideológico de volta a alguma era de ouro saudosista, mas o pragmatismo que reconhece o poder das inclinações de nossa natureza.

Na origem de nossa espécie, o homem era, graças à sua constituição e seus gostos instintivos, formado para a caça e a pesca, para perseguir animais de caça aquáticos e terrestres. A mulher se especializou na colheita, principalmente a colheita de vegetais.

Oriundos de tal matriz inicial, esses alimentos adquiriram, rapidamente, um estatuto fundador, o dos alimentos mais específicos, mais humanos, mais nobres e densos, e os mais apropriados ao homem, tanto no plano nutricional quanto em outro, infinitamente mais interessante para a gestão do peso: a carga afetiva e emocional das refeições.

Por esse motivo, há 50 mil anos, esses alimentos evoluíram na companhia permanente do homem, reforçando suas ligações recíprocas.

É claro que o ser humano não é mais o que era antes, que não é mais o caçador-coletor, que se tornou sedentário, que se tornou culto e educado, que construiu civilizações, que controlou seu ambiente e que tira dele exatamente o que quer, inclusive seus alimentos, concebidos mais como objetos de prazer que como vetores nutritivos.

Desse modo, ele cria uma alimentação nova, nas antípodas do que é feito para receber. Ele se entrega a ela com volúpia, pois é uma alimentação de sedução, rica, opulenta, sensorial, gratificante, afetiva e emocional, mas também é uma alimentação que engorda. Ora, seu problema hoje é parar de engordar e emagrecer.

Em nossa alimentação atual, dois nutrientes — as gorduras e os açucares que compõem alimentos durante muito tempo considerados como raros e luxuosos — tiveram uma aparição estrondosa ao longo dos últimos cinquenta anos. Por definição, os alimentos com alto teor de gordura e açúcar que abundam hoje nas prateleiras dos grandes supermercados são produtos extremamente recompensadores, que não existiam quando nosso corpo e sobretudo nosso cérebro nasceram. Ninguém comia gorduras, pois a carne dos animais caçados era magra. Ninguém comia muito açúcar, pois a sacarose não existia. O próprio Rei Sol, no luxo extraordinário de Versalhes, nunca experimentou alimentos açucarados que não fossem o mel e as frutas.

Meu propósito não é militar por um retorno à alimentação simples do homem das cavernas, mas de fazer com que se entenda que emagrecer ao se apropriar novamente de seus alimentos não é uma agressão para aquele que, durante seu emagrecimento, deverá se acostumar a eles.

Sei que a maior parte dos nutricionistas prega o consumo de amidos, cereais, carboidratos e gorduras boas na alimentação, e eu mesmo estou convencido da utilidade dessa abertura, mas não durante a fase de emagrecimento. Meus trinta anos de combate ao lado de meus pacientes me convenceram de que esse tipo de alimentação equilibrada era totalmente inadaptada aos primeiros passos do emagrecimento. Emagrecer conservando o equilíbrio e a proporção perfeita dos nutrientes é desconhecer a psicologia e a problemática das pessoas com sobrepeso e obesas.

O período de emagrecimento é um período de guerra, que deve, para ser verdadeiramente vencido, desembocar em uma paz durável. Ora, não se pode imaginar levar um combate sem esforço ou lógica. Se os obesos fossem capazes de perder peso comendo um pouco de tudo, de maneira equilibrada, não seriam obesos. Não se pode compreender os comportamentos alimentares do homem em função de meras leis de termodinâmica. A explicação energética do sobrepeso — engordamos por comermos muito e nos exercitarmos pouco — é verdadeira, mas não explica como e por que se engorda.

Se você, que está lendo, engordou o suficiente para que isso o incomode, é porque come com uma outra finalidade, além de se alimentar. Sem conhecê-lo, posso garantir a você que, em sua alimentação, o que o fez engordar provavelmente não é o que consumiu para se alimentar, mas o complemento que deu às refeições para se satisfazer e diminuir seu estresse. É essa necessidade de prazer, essa demanda suficientemente forte a ponto de impor-se a você e levá-lo a engordar, coisa que você reprova e que o faz sofrer. É essa necessidade que pode levá-lo a se sentir culpado o fio condutor e a explicação real de seu problema de sobrepeso.

As trocas cotidianas com meus pacientes, o fato de ouvi-los, a observação de seus depoimentos e vivências convenceram-me ao longo dos anos de que, quando existe tal demanda inconsciente de prazer, uma pulsão forte o bastante para apagar a razão e fazer calar a sensação de culpa, o ganho de outros prazeres e outras fontes de satisfação está, momentânea ou duravelmente, em carência.

E, habitualmente, o clique — que nos leva a reagir e buscar a energia suficiente para entrar em guerra contra o peso e abandonar o prazer da compensação do qual resulta — vem da compreensão de que outras fontes de prazer, oriundas de outros campos da vida estão nos esperando, uma promessa de embelezamento que anuncia dias melhores.

Nesses momentos privilegiados, frágeis e incertos, as pessoas com sobrepeso querem lutar de maneira eficaz, obtendo resultados palpáveis, visíveis e suficientes para fortalecer a esperança e a motivação, que podem muito bem se esvair em caso de estagnação ou fracasso. Elas querem uma dieta eficaz, que mostre resultados rapidamente.

Nessa lógica, escolhi a eficácia, respeitando minha ética de médico que assegura os interesses de meu paciente a longo prazo e a durabilidade dos resultados adquiridos com a estabilização de seu peso de equilíbrio a longo prazo.

Durante muito tempo, pensei que a prioridade atribuída à eficácia seria aceitar um congelamento momentâneo da gastronomia e da pesquisa culinária. Eu desconhecia a engenhosidade e as infinitas fontes de criatividade de meus pacientes e leitores, pois estes são extremamente motivados e aplicados à invenção de receitas de acordo com os limites e as estruturas específicas que lhes prescrevia — das proteínas e legumes sem qualquer restrição de quantidade.

Assim, em cinco anos, recebi milhares de receitas que usavam essas duas famílias de alimentos, respeitando seu modo de preparo, sua mistura e sua alternância. Fiquei surpreso ao ver a que ponto os que tiveram a sorte de criar uma receita para sua própria felicidade faziam questão de compartilhá-la.

Numa manhã de 2005, um de meus leitores me telefonou. Fazia questão de me contar que, depois de ter comprado meu livro ao acaso, em uma estação de trem, seguiu suas recomendações e conseguiu perder, sozinho, mais de trinta quilos entre seis e sete meses.

"Passei toda a minha vida trabalhando em restaurantes. Gosto tanto de cozinhar quanto de me deleitar com meus pratos. Foi assim que ao longo dos anos fiquei obeso. Seu plano me seduziu, pois amo carnes e peixes e, acima de tudo, sou um grande glutão. Seu livro começa com as palavras 'à vontade'.

"Coloquei em prática todo o meu talento e todo o meu conhecimento para dar aos cem alimentos, totalmente autorizados, e às inúmeras receitas de sua obra, o esplendor e a forma da grande culinária. Durante seis meses, comi com muito prazer e realmente emagreci sem sofrer.

"Como agradecimento, envio-lhe as receitas que surgiram de seu repertório, mas ajustadas ao meu prazer a partir das suas regras, para que seus pacientes e demais leitores possam usá-las quando lhes faltar tempo ou imaginação."

A vida quis que esse telefonema, além de sua inestimável contribuição ao prazer da alimentação aplicado ao emagrecimento, também entrasse na minha vida pessoal e familiar. Meu filho, Sacha, que estuda dietética, conheceu tais receitas e, em conjunto com esse chef competente e experiente, montou um laboratório e desenvolveu uma linha de pratos emagrecedores, a única linha que conheço que não leva gordura, açúcar e farinha em toda a Europa.

Você poderá encontrar essas receitas neste livro, misturadas a outras, não tão profissionais, mas tão criativas quanto, de mulheres que se exprimem em fóruns de discussão de seguimento do meu método. Aproveito a ocasião para agradecer, do fundo do coração, às internautas dos principais fóruns de discussão que me ajudaram e me enviaram suas receitas. São muitas e eu não poderia citar todas; no entanto, elas se reconhecerão quando citar seu fórum de discussão: *aufeminin*, *supertoinette*, *mesregimes, dukanons, seniorplanet, doctissimo, zerocomplexe, atoute, cuisinedukan, vivelesrondes, commeunefleur, nouslesfemmes, club-regimes, e-sante, commeunefleur, regimefacile, meilleurduchef, volcreole, forumliker, yabiladi, formemedecine, actiforum, easyforum, dudufamily...*

Para classificar as receitas deste livro, usei a estrutura das etapas que delimitam meu método, que é composto por quatro fases. As duas primeiras fases, de ataque e de cruzeiro, são encarregadas do emagrecimento propriamente dito. As duas fases seguintes, a consolidação e a estabilização do peso, aplicam-se a proteger o peso perdido.

É ao longo das duas primeiras fases que as receitas têm um papel crucial: levar prazer, sabores, quantidade, satisfação e variedade à alimentação. Depois, a diversidade é tão grande que um livro de receitas não poderia contê-la inteiramente. Mas ainda não disse minha última palavra, haverá um livro de receitas para a consolidação. Preparem-se!

Aqui, você encontrará dois grandes tipos de receitas: as receitas — ditas de proteínas puras — que utilizam apenas alimentos com alto teor de proteínas; e as que conjugam proteínas e legumes.

As receitas foram concebidas a partir dos cem alimentos que constituem minha dieta, livremente autorizados em quantidade, em horário e em misturas.

Tal liberdade é totalmente concedida, com a condição de que não se introduza qualquer outro alimento durante as duas primeiras fases desse plano, que serve para levar ao peso desejado.

Eis os cem alimentos livremente autorizados nas duas primeiras fases de meu plano.

62 alimentos proteicos

- 14 carnes: picanha, alcatra, filé mignon, bife e contrafilé, rosbife, língua, fígado, carne-seca, escalope, costela, fígado e rim de vitelo, assim como presunto de porco magro, peito ou presunto de frango ou peito de peru (sem gordura e sem pele).
- 23 peixes: bacalhau, pescada, dourado, bonito, peixe-espada, truta, hadoque, hadoque defumado, tilápia, linguado, cavala, pacú,

pintado, badejo, trilha, arraia, sardinha, salmão, salmão defumado, kani, atum, atum ao natural, merluza

- Dez frutos do mar: lula, vieira, caranguejo/siri, camarão, camarão cinza, ostra, lagosta, lagostim, mexilhão, polvo.
- Oito galináceos: codorna, frango, fígado e moela de frango, peru, coelho, galinha de angola, galeto.
- Dois ovos: de galinha e de codorna.
- Cinco laticínios: iogurte magro branco, queijo frescal com 0% de gordura, queijo cottage com 0% de gordura, leite desnatado, requeijão com 0% de gordura.
- Três proteínas vegetais: tofu, seitan (carne de glúten), hambúrguer de soja.

34 legumes

Alcachofra, aspargo, berinjela, beterraba, brócolis, cenoura, repolho, aipo, cogumelos, couves (couve, couve-flor, couve-de-bruxelas), palmito, pepino, abobrinha, espinafre, erva-doce, vagem, quiabo, chuchu, nabo, acelga, alface, chicória, jiló, broto de soja (moyashi), endívia, agrião, cebola, alho-poró, pimentão, abóbora, rabanete, tomate, rúcula e o shirataki de konhaku.

As proteínas que são o motor da minha dieta

Para os que não conhecem minha dieta e não leram *Eu não consigo emagrecer*, meu método completo, devo retomar sucintamente os elementos que fundamentam a importância e o modo de ação particular desse plano.

O que ele contém e como funciona?

Seu eixo central, cuja confecção ocupou uma boa parte da minha vida de médico, e pelo qual minha viagem no mundo da nutrição começou, são as "proteínas".

Em 1970, eu lançava, na França, a primeira dieta baseada na nutrição exclusiva. Tive muita dificuldade em fazer com que aceitassem o isolamento de um nutriente, uma ruptura brutal com o dogma das poucas calorias que reinava sozinho à época. Hoje, esse nutriente enfim tem seu lugar entre as armas contra o sobrepeso. A meu ver, ainda não encontrou seu verdadeiro lugar, o primeiro lugar, sem contestação. Ele é o motor de toda dieta verdadeira, usado sozinho durante alguns dias para lançar o foguete, pois uma dieta que não decola é uma dieta morta.

A teoria ambiente, extremamente conservadora e insensível à obstinação dos resultados e das estatísticas, ainda falta a essa estratégia que fez, faz e continuará criando cada vez mais e mais obesos todos os anos: a dieta das poucas calorias, do "tudo em pequenas quantidades".

Alguns colegas médicos muito competentes, que fazem parte dessa oposição, transformam o debate em algo psiquiátrico, com o pretexto de que a privação faz com que se engorde, que as dietas começam por fazer emagrecer muito rapidamente para os iniciantes, mas, em simetria a essas perdas rápidas, sucedem-se ganhos tão rápidos quanto e, frequentemente, com o "plus" do efeito ioiô. A dieta seria uma maneira programada de engordar.

Esses casos existem, vejo-os algumas vezes, mas estão longe de ser a regra e são, seja vindos de dietas estúpidas, como a da sopa ou a de Beverly Hills, de frutas exóticas, seja de dietas de baixas calorias muito longas e frustrantes, seja de dietas de sachês em pó — e tais sachês são de uma violência dupla: metabólica, pelo uso de um nutriente puro a 98%, e comportamental, por uma alimentação limitada a pós industrializados.

O fator comum entre todas essas dietas de reincidência é a ausência total e bilateral de estabilização, tanto dos intervenientes, com seus conselhos de bom senso, como "tome cuidado com sua alimentação", "não coma muito", recomendações vazias, quanto dos pacientes que querem acreditar nelas e sentem ainda tanto ardor e contentamento por terem emagrecido que se creem fora de risco. Evidentemente, os dois se enganam. Apenas um verdadeiro plano, com regras precisas, concretas, fáceis de se memorizar, inscritas em rituais eficazes, contra-ataques graduados e programados em barragens sucessivas na estrada do ganho do peso, prova-se, ao longo de semanas e meses, suficiente para controlar o peso. Apenas uma ação tão global quanto essa, concertada e segura de si pode se opor aos fracassos e quedas.

Entrar em guerra contra algumas dietas, sim! A todas elas, indistintamente, não! Isso seria eliminar algo importante, sem filtrá-lo no meio dos problemas. Entre todas essas dietas muito eficazes, muito violentas, muito contra a natureza, é preciso controlar a dieta dos sachês de proteínas puras em pó ou, em todo caso, deixá-la apenas nas mãos dos médicos, ou até mesmo dos psiquiatras.

Sobre isso, gostaria de narrar uma história verídica, que vai certamente diverti-lo e dirá, em seu desenrolar, muito sobre o que penso a respeito das proteínas industriais.

Durante o inverno de 1973, minha secretária me passa uma ligação telefônica de uma pessoa que eu não conhecia e que, com seu grande sotaque escandinavo, me conta que, tendo um dia comprado uma de minhas obras em uma estação de trem, leu-a e, sem muito esforço ou sofrimento, comendo quando tinha fome, conseguiu eliminar um grande excedente de peso.

"Estou de passagem por Paris e gostaria de encontrá-lo para apertar sua mão e agradecer pessoalmente."

Algumas horas mais tarde, uma espécie de gigante nórdico, com cerca de 50 anos, chega ao meu escritório.

"Sem saber, você mudou minha vida. E, para mostrar meu agradecimento, gostaria de lhe dar um presente."

Tira de sua mala e coloca sobre minha mesa de escritório um magnífico e impressionante salmão.

"Tenho muitas criações de salmão na Noruega, e este peixe, uma das mais belas peças de meu fiorde preferido, foi pescado para você e defumado à moda antiga, no bosque da floresta."

Adoro salmão e agradeço, de todo o meu coração.

"É apenas uma bagatela, um piscar de olhos de minhas florestas. Eis o verdadeiro presente."

E tira de sua mala uma caixa cilíndrica em alumínio, do tamanho de uma caixa de chapéu, sem qualquer inscrição aparente.

"Doutor, você sabe o que há nesta caixa? Aqui está sua fortuna!"

E retira a tampa da caixa, que cobre uma massa de pó branco.

"Explico: controlo inúmeras leiteiras nos Países Baixos. Produzimos manteiga, mas não sabemos o que fazer com o soro do leite, seu principal subproduto, que acaba indo para os porcos. Ora, você sabe o que há nesse soro? Há glóbulos solúveis de leite, proteínas no estado puro! Proponho colocar essa enorme quantidade de soro à sua disposição, para que você possa fazer sachês de emagrecimento."

Esse homem era um visionário industrial. Dez anos mais tarde, as proteínas em pó se tornaram o produto emagrecedor mais vendido no mundo.

"Agradeço imensamente pelo salmão, ficarei muito satisfeito e pensarei em você e em seus fiordes. Mas não posso ficar com a caixa e seu conteúdo, não é dessa maneira que quero defender minhas proteínas. Seu primeiro presente, talvez você não o saiba, seu salmão tão extraordinário, também é uma jazida de proteínas. Gosto tanto de salmão que já estou me preparando mentalmente para mostrá-lo à minha família e para consumi-lo com alegria; gosto tanto que seria repugnante consumi-lo em forma de pó. E se não quero para mim, por que tentaria prescrever a meus pacientes, que me têm tanta confiança?"

Voltemos ao meu plano proteico como existe atualmente.

É um plano composto por quatro dietas sucessivas, que se articulam umas com as outras para levar quem deseja emagrecer a um peso fixo e mantê-lo.

Essas quatro dietas sucessivas e de eficácia decrescente são concebidas da seguinte maneira:

- a primeira é um arranque-relâmpago inicial, que garante uma perda de peso intensa e estimulante;
- a segunda proporciona um emagrecimento regular, levando de uma vez por todas ao peso desejado;
- a terceira garante uma consolidação do peso que acaba de ser obtido e ainda instável durante dez dias por cada quilo perdido;
- a quarta é constituída por uma estabilização definitiva, com o preço de um dia por semana da fase inicial, que deve ser conservado por toda a vida.

Cada uma dessas fases tem seu próprio modo de ação e uma missão particular a ser cumprida, mas todas tiram suas forças e sua eficácia decrescente do uso das proteínas puras no ataque, alternadas no cruzeiro, equilibradas na consolidação e, enfim, semanais na estabilização definitiva.

Com essa dieta seguida à risca, em uma duração que pode variar, de acordo com o caso, de dois a sete dias, o plano proteico começa, criando um fantástico efeito de surpresa.

É essa mesma dieta que, usada em alternância, confere potência e ritmo à dieta das proteínas alternadas e leva definitivamente ao peso desejado.

Também é ela que, usada pontualmente, cria o pilar da fase de consolidação, período de transição entre o emagrecimento puro e rígido ao retorno a uma alimentação normal.

É ela, finalmente, que, em um único dia por semana, mas pelo resto da vida, oferece uma estabilização definitiva, que permite, na troca desse esforço pontual, que se viva com uma alimentação sem sentimento de culpa e sem restrição particular nos outros seis dias da semana.

Se a dieta das proteínas puras é o motor principal do plano proteico e de suas quatro fases integradas, é preciso que se descreva agora, antes de passar à prática, seu modo de ação bastante peculiar, explicando sua impressionante eficácia e, principalmente, sua durabilidade e estabilização, a fim de que possamos explorar todos os recursos.

Como funciona a fase de proteínas puras, aquela pela qual tudo começa e que serve de base às três outras e ao futuro estável de seu peso?

1. Essa fase deve ser composta exclusivamente de proteínas

Onde encontramos as proteínas puras?

As proteínas formam a trama da matéria viva, tanto animal quanto vegetal, e isso significa que as encontramos na maior parte dos alimentos conhecidos. Para desenvolver seu modo de ação específico e todas as suas potencialidades, a fase das proteínas deve ser composta pelos alimentos mais ricos possíveis em proteínas. Na prática, à parte a clara de ovo, nenhum alimento contém essa pureza.

Os vegetais, por mais proteicos que sejam, sempre são ricos em carboidratos. É o caso de todos os cereais e farinhas, leguminosas e diversos amidos, inclusive a soja, conhecida pela qualidade de suas proteínas, mas muito gordurosa e rica em carboidratos. Isso torna todos os vegetais inutilizáveis nesse período.

O mesmo acontece com os alimentos de origem animal, mais proteicos que os vegetais, mas cuja maioria é muito gordurosa. É o caso do porco, do cordeiro, do carneiro, de certas aves muito gordurosas, como o pato e o ganso, além de inúmeros cortes de boi e de vitela.

Entretanto, existe um certo número de alimentos de origem essencialmente animal que, sem chegar à pureza proteica — que não queremos que seja integral —, aproximam-se dela e que, por esse motivo, serão os principais atores da dieta proteica.

- O boi, com exceção do entrecosto, da costela e de todos os pedaços para assar.
- Os pedaços de vitela para grelhar.
- As aves, com exceção do pato e do ganso.
- Todos os peixes, inclusive os azuis, cuja gordura, eminentemente protetora do coração e das artérias humanas, os tornam aceitáveis nessa fase.
- Os crustáceos e moluscos.
- Os ovos, cuja pureza da clara é maculada pelo leve teor de gordura da gema.
- Os laticínios magros são muito ricos em proteínas e totalmente desprovidos de gordura. Contêm, entretanto, uma pequena quantidade de carboidratos.
- A fraqueza desse teor de carboidratos — relativamente lentos — e a qualidade gustativa desses alimentos permitem, contudo, que guardem seu lugar na nossa seleção de alimentos essencialmente proteicos que compõem a força inicial do plano proteico.

A pureza das proteínas e o que trazem em calorias

Todas as espécies animais alimentam-se de alimentos compostos por uma mistura dos três únicos nutrientes conhecidos: as proteínas, os lipídios e os carboidratos. Mas, para cada espécie, existe uma proporção ideal e específica desses três nutrientes. Para o homem, tal proporção é, esquematicamente, de 5-3-2, ou seja, cinco partes de carboidratos, três partes de lipídios e duas partes de proteínas: composição bastante próxima da do leite materno.

Quando a composição do bolo alimentar respeita esse número de ouro específico, a assimilação de calorias pelo intestino delgado se efetua com uma eficácia máxima, e seu rendimento é tal que pode facilitar o ganho de peso. Podemos dizer que o corpo se aproveita disso.

Ao contráro, basta modificar essa ótima proporção para perturbar a absorção de calorias e reduzir, desse modo, o rendimento dos alimentos. No plano teórico, a modificação mais radical que se pode conceber — a que reduziria mais intensamente a absorção de calorias — seria restringir a alimentação ao consumo de um único nutriente.

Na prática, ainda que se tenha tentado fazê-lo com os carboidratos (a dieta de Beverly Hills, que se compõe unicamente de frutas exóticas) e com os lipídios (dieta do Esquimó), a alimentação reduzida a tão somente açúcares ou gorduras é dificilmente realizável e cheia de consequências. O excesso de açúcar facilita o desenvolvimento de diabetes. O excesso de gordura entope o coração e as artérias.

Além disso, a ausência de proteínas, indispensáveis à vida, obrigaria o organismo a tirá-las de suas reservas musculares.

Logo, a alimentação limitada a um único alimento é concebível apenas para as proteínas, solução aceitável no plano gustativo, evitando o risco de entupimento arterial e que, por definição, exclui toda carência proteica.

Quando se consegue instaurar uma alimentação concentrada em alimentos com alto teor de proteínas, o intestino delgado, encarregado de extrair as calorias, tem dificuldade em trabalhar com um bolo alimentar para o qual não está programado. Ele não consegue se aproveitar plenamente de seu conteúdo calórico. Assim, encontra-se na situação de um motor em dois tempos, concebido para funcionar com uma mistura de gasolina e óleo que se passaria por gasolina pura e que, depois de engasgar ficaria sufocado por não poder usar seu carburador.

O que o organismo faz nessas condições? Gasta o que é vital, as proteínas indispensáveis ao funcionamento do organismo (músculos, glóbulos, pele, cabelos, unhas) e deixa passar, sem utilizá-lo, o resto das calorias fornecidas.

A absorção das proteínas é um trabalho que custa caro e que necessita de um grande gasto calórico

Para entender essa segunda propriedade das proteínas, que contribui para a eficácia do plano proteico, é indispensável estar familiarizado com a noção de ADE — Ação Dinâmica Específica dos alimentos. A ADE representa o esforço ou o gasto que o organismo deve investir para desintegrar um alimento, até reduzi-lo ao estado de moléculas de base, única forma possível de ser transportado pelo sangue. Isto demanda um trabalho cuja intensidade varia de acordo com a consistência e a natureza química do alimento.

Quando você consome cem calorias de açúcar branco, carboidrato rápido por excelência, composto por moléculas simples e pouco agregadas, absorve-o rapidamente e esse trabalho custa apenas sete calorias ao organismo. Restam, então, 93 calorias utilizáveis. A ADE dos hidratos de carbono é de 7%.

Quando você consome cem calorias de manteiga ou de óleo, a absorção é um pouco mais trabalhosa, e esse trabalho lhe custa 12 calorias, deixando ao organismo apenas 88 calorias residuais. A ADE dos lipídios chega, então, a 12%.

Finalmente, para assimilar cem calorias de proteínas puras, clara de ovo, peixe magro ou queijo branco magro, a adição é enorme, pois as proteínas são compostas por um agregado de cadeias de moléculas muito longas, cujas moléculas de base, os aminoácidos, estão ligados entre si por um cimento forte, que exige um trabalho infinitamente maior. Esse gasto calórico de simples absorção é de trinta calorias, deixando ao organismo apenas setenta calorias, ou seja, uma ADE de 30%.

A absorção de proteínas, verdadeiro trabalho interno, é responsável por uma liberação de calor e de uma elevação de temperatura do corpo que explica por que é desaconselhável tomar banho de água fria após uma refeição rica em proteínas. A discrepância de temperatura pode ocasionar um choque térmico.

Essa característica das proteínas, que incomoda a quem gosta de tomar banho logo após as refeições, é uma bênção para o obeso, tão talentoso na arte de assimilar calorias. Ela permitirá que este realize uma economia indolor que, por sua vez, lhe permitirá se alimentar mais confortavelmente, sem sofrer a pena imediata.

Ao fim do dia, para um consumo proteico de 1.500 calorias, o que representa um consumo substancial, restam apenas mil calorias ao organismo, depois da digestão. Essa é uma das chaves do plano proteico e uma das razões estruturais de sua eficácia. Mas isso não é tudo...

As proteínas puras diminuem o apetite

A ingestão de alimentos açucarados ou gordurosos, facilmente digeridos e assimilados, gera uma saciedade superficial, rapidamente submergida pelo retorno da fome. Estudos recentes provaram, desse modo, que o fato de beliscar alimentos açucarados ou gordurosos não retarda a volta da fome e nem diminui a quantidade de alimento ingerida durante as refeições. No entanto, o fato de beliscar alimentos proteicos muda a refeição seguinte, pois reduz a quantidade de alimentos ingeridos.

Além disso, o consumo exclusivo de alimentos proteicos leva o corpo a produzir corpos cetônicos, poderosos inibidores de fome naturais, responsáveis por uma saciedade durável. Após dois ou três dias de uma alimentação limitada a proteínas puras, a fome desaparece totalmente e o plano proteico pode ser seguido, evitando-se a ameaça natural que pesa na maior parte das outras dietas: a fome.

As proteínas puras combatem o edema e a retenção de líquidos

Certas dietas ou tipos de alimentação são conhecidos por serem "hidrófilos favorecendo a retenção de líquidos e os inchaços, sua consequência imediata; é o caso das dietas cujos alimentos centrais são: vegetais, frutas, legumes e verduras e sais minerais.

As alimentações ricas em proteínas são o oposto das dietas mais "hidrófugas", facilitando a eliminação urinária e, assim, a drenagem dos tecidos repletos de água, tão preocupantes no período pré-menstrual quanto ao longo da pré-menopausa.

A fase de ataque proteica, composta pelas proteínas mais puras possíveis, possui essa propriedade em seu mais alto nível.

Essa característica representa uma vantagem bastante particular para a mulher. Com efeito, quando um homem engorda, isso acontece, principalmente, porque come muito e estoca seu excesso de calorias em forma de gordura. Para a mulher, o mecanismo de ganho de peso é frequentemente mais complexo e associado à retenção de líquidos, que freia e reduz a performance das dietas.

Em certos momentos do ciclo menstrual, durante os quatro ou cinco dias que precedem a menstruação ou em certas encruzilhadas da vida feminina, puberdade anárquica, pré-menopausa interminável ou mesmo sob o efeito de desordens hormonais, as mulheres, especialmente as com sobrepeso, começam a reter água e sentem-se esponjosas, inchadas, não podendo tirar os anéis de seus dedos inchados e sentindo suas pernas pesadas e os calcanhares inflados. Tal retenção é acompanhada de um ganho de peso habitualmente reversível, mas que pode se tornar crônico.

Para voltar à boa forma e evitar que engordem, elas começam dietas e constatam, com surpresa, que as pequenas medidas que habitualmente vencem o sobrepeso se mostram inoperantes.

Em todos esses casos, que não são tão raros, as proteínas puras, como estão reunidas na fase proteica de ataque, têm uma função decisiva e imediata. Em alguns dias, ou até mesmo em algumas horas, os tecidos cheios de água secam e, com isso, uma sensação de bem-estar e leveza se repercute imediatamente na balança e reforça a motivação.

As proteínas puras aumentam a resistência do organismo

Aqui, trata-se de uma propriedade bastante conhecida pelos nutricionistas e percebida desde sempre pelos leigos. Antes da erradicação antibiótica da tuberculose, uma das bases clássicas do tratamento era a alimentação com um aumento notável da proporção de proteínas. Em Berck, chegava-se a forçar os jovens adolescentes a beber sangue animal. Atualmente, os treinadores aconselham uma alimentação com alto teor proteico aos esportistas, que exigem muito de seu próprio organismo. Os médicos fazem o mesmo para aumentar a resistência à infecção, no caso das anemias, ou para acelerar a cicatrização de feridas.

É útil usar essa vantagem, pois, em qualquer que seja o emagrecimento, sempre há um enfraquecimento do organismo. Notei que o período inaugural da dieta proteica, composto exclusivamente pelas proteínas mais puras possíveis, era sua fase mais estimulante. Alguns pacientes chegaram a notar que tal período tinha um efeito de euforia, tanto físico quanto mental, e isso a partir do fim do segundo dia.

As proteínas puras da dieta proteica emagrecem sem que haja perda muscular ou elasticidade da pele

Essa constatação nada tem de surpreendente quando se sabe que a pele, seu tecido elástico e o conjunto de músculos do organismo são essencialmente constituídos por proteínas. Uma dieta pobre em proteínas obrigaria o corpo a usar as de seus próprios músculos e pele, fazendo com que esta perca sua elasticidade, sem falar da fragilização dos ossos, que já são frequentemente ameaçados durante o período da menopausa. A conjunção desses efeitos produz um envelhecimento dos tecidos, da pele, dos cabelos e da aparência em geral, notados por aqueles que nos cercam e levando à interrupção da dieta.

Ao contrário disso, uma dieta rica em proteínas e, *a fortiori*, composta exclusivamente por proteínas, como a que propõe a fase proteica, tem poucas razões para atacar as reservas do organismo, uma vez que já há muitas proteínas disponíveis para serem absorvidas. Nessas condições, o emagrecimento rápido e tonificante conserva a firmeza dos músculos e o viço da pele, fazendo com que se emagreça sem ficar com a aparência muito cansada.

Essa peculiaridade da dieta proteica pode parecer secundária para mulheres jovens e corpulentas, musculosas, com a pele firme, mas é muito importante para mulheres que se aproximam da menopausa, que possuem uma musculatura reduzida ou uma pele delicada e fina. Essa é a oportunidade de dizer que, atualmente, muitas pessoas controlam seu peso tendo a balança como única referência. O peso não pode e não deve ter esse papel exclusivo; o viço da pele, a consistência dos tecidos e a tonicidade geral do corpo são parâmetros tão importantes quanto e interferem na imagem exterior de uma mulher.

2. Essa dieta deve ser rica em água

O problema da água é sempre um pouco desconcertante. Muitos ditos, muitos rumores circulam a seu respeito, mas, frequentemente, encontra-se uma "opinião autorizada" que afirma o contrário do que foi dito no dia anteior.

Ora, o problema da água não é um simples conceito de marketing nutricional, um chocalho para divertir os candidatos ao emagrecimento. É uma questão de suma importância que, apesar do imenso esforço conjunto da imprensa, dos médicos, dos comerciantes e do simples bom senso, nunca conseguiu realmente convencer o público e, em particular, quem faz uma dieta.

Para simplificar, pode parecer essencial e prioritário queimar calorias para obter uma fonte de reservas de gorduras, mas a combustão, por mais necessária que seja, não é suficiente Emagrecer é tanto queimar quanto eliminar.

Quem pensaria em uma máquina de lavar roupa ou uma máquina de lavar louça em que não se utilizasse água? O mesmo acontece com o emagrecimento, e é indispensável, nesse caso, que as coisas fiquem claras. Uma dieta que não é acompanhada de uma quantidade suficiente de água é uma dieta ruim, pois não apenas é pouco eficaz, mas também causa acúmulo de dejetos nocivos.

A água purifica e aumenta os resultados da dieta

Uma simples constatação mostra que, quanto mais se bebe água, mais se urina, e mais o rim tem a possibilidade de eliminar os dejetos provenientes de alimentos queimados. A água é, então, o melhor dos diuréticos naturais. É surpreendente constatar o quanto é pequeno o número de pessoas que bebe água o suficiente.

As mil solicitações do cotidiano retardam e acabam por ocultar a sensação natural de sede. Os dias e os meses passam, e a sede desaparece e não tem mais o papel de advertência de desidratação dos tecidos.

Muitas mulheres, com bexigas mais sensíveis e menores que as dos homens, hesitam bebê-la para evitar os deslocamentos incessantes, ou as necessidades intempestivas durante a ocupação profissional, durante os transportes ou mesmo por alergias aos sanitários comuns.

Ora, o que pode ser aceito em condições normais não o é mais ao longo de uma dieta e, quando os argumentos de higiene se mostram ilusórios, existe um que sempre acaba por convencer. Ei-lo:

Tentar emagrecer sem beber água não é apenas tóxico para o organismo, como pode reduzir ou mesmo bloquear totalmente a perda de peso e reduzir a nada todos os esforços feitos. Por quê?

Porque o motor humano que consome suas gorduras ao longo de uma dieta funciona como qualquer outro motor de combustão. A energia queimada libera calor e dejetos.

Se os dejetos não são regularmente eliminados pelos rins, seu acúmulo acaba, mais cedo ou mais tarde, por interromper a combustão e impedir toda perda de peso, mesmo durante uma dieta perfeitamente seguida. O mesmo aconteceria com o motor de um carro em que se obstruísse o cano de escapamento ou com o fogo de uma chaminé da qual não se limpassem as cinzas: todos os dois acabariam por se asfixiar e se apagar em um amontoado de dejetos.

Os caminhos nutricionais do obeso e o acúmulo de tratamentos inadequados e dietas excessivas ou incoerentes acabam por fazer com que seus rins se tornem preguiçosos. Mais que qualquer um, eles precisam de grandes quantidades de água para fazer com que suas funções de excreção voltem a funcionar.

No início, a operação pode parecer desagradável e entediante, principalmente no inverno, mas, se insistirmos, o hábito se fixa e, reforçado pela sensação agradável de limpar-se por dentro e emagrecer mais, acaba, frequentemente, se tornando uma necessidade.

Água e proteínas puras conjugadas exercem uma ação poderosa de remoção da celulite

Essa propriedade diz respeito apenas às mulheres, pois a celulite é uma gordura sob influência hormonal que se acumula e fica aprisionada nos lugares mais femininos do organismo: as coxas, os quadris e os joelhos.

Nessa afeição rebelde em que a dieta é bastante impotente, observei que a dieta das proteínas puras, associada à redução de sal e ao consumo intensificado de água faz com que se obtenha uma perda de peso mais harmoniosa, com emagrecimento moderado, mas real, em zonas rebeldes como o culote e a parte interna dos joelhos.

Comparada a outras dietas seguidas por uma mesma paciente em momentos diferentes de sua vida, essa combinação foi a que melhor resultou em uma redução considerável dos quadris e das coxas para uma mesma quantidade de peso perdida.

Esses resultados se explicam pelo efeito hidrófugo das proteínas e a intensa filtração dos rins quando há uma grande quantidade de água. A água penetra em todos os tecidos, inclusive na celulite, entrando pura e limpa e saindo suja e cheia de dejetos. A essa ação de remoção de sal e excreção adiciona-se o efeito de combustão potente das proteínas puras. Esse conjunto age de forma modesta e parcial, mas rara, distinguindo-se da maior parte das outras dietas, que não têm qualquer efeito sobre a celulite.

Em que momentos se deve beber água?

Inúmeros resquícios de informação de uma outra era, mas ainda em vigor no inconsciente coletivo, insistem em nos fazer acreditar que é preferível não beber água durante as refeições, para evitar o sequestro de água pelos alimentos.

Isso não apenas não tem fundamento fisiológico, mas, em muitos casos, tem o efeito contrário. Não beber água durante as refeições, no momento em que a sede vem e em que é fácil e agradável beber, faz com que cresça o risco de estancar a sede e, no calor das atividades cotidianas, que se esqueça de se hidratar no resto do dia.

Na dieta proteica e especialmente ao longo de seu período de cruzeiro com as proteínas alternadas, é indispensável, exceto em caso excepcional de retenção de líquidos de origem hormonal ou insuficiência renal, beber um litro e meio de água por dia, se possível, água mineral, mas também sob qualquer outra forma líquida: café, chá ou infusão.

Uma xícara de chá no café da manhã, um grande copo durante a manhã, dois outros no almoço e um café ao final da refeição, um copo à tarde e dois copos no jantar: eis que dois litros foram facilmente consumidos.

Muitos pacientes afirmaram que, para beber sem sede, criaram o hábito pouco elegante, mas, segundo eles, de grande eficácia, de beber diretamente da garrafa.

Que água se deve beber?

- As águas mais apropriadas ao período de ataque de proteínas puras durante a dieta proteica são as águas minerais.
- Os que têm hábito de beber água filtrada podem continuar, pois o essencial está mais na quantidade ingerida, o que é suficiente para despertar os rins, do que na composição particular dessa água.
- O mesmo serve para infusões e chás, que seduzem aqueles que são habituados ao ritual da xícara de chá e que preferem bebidas quentes, especialmente no inverno.
- Quanto aos refrigerantes zero, especialmente a Coca-Cola Zero, cuja difusão atualmente é igual à da Coca-Cola normal, adquiri

o hábito de aconselhá-los ao longo das dietas para emagrecer por diversas razões. Antes de mais nada, frequentemente, beber refrigerante ajuda a chegar à marca dos dois litros diários. Além disso, seu teor em açúcares e em calorias é praticamente inexistente, uma caloria por copo equivale ao valor de um amendoim para uma garrafa de 2 litros. Finalmente, a Coca-Cola Zero é, como a Coca-Cola tradicional, uma mistura de sabores intensos, cujo uso repetido, especialmente para quem gosta de beliscar e sente falta de açúcar, pode reduzir a vontade de comer doces. Muitos dos meus pacientes afirmaram que o uso reconfortante e lúdico dos refrigerantes zero os ajudou ao longo da dieta.

Uma única exceção ao uso dos refrigerantes zero: na dieta da criança e do adolescente. A experiência prova que, nessas idades, o efeito da substituição do "açúcar falso" não exerce bem seu papel e reduz muito pouco a demanda de açúcar. Esse uso não limitado de algo doce pode criar um hábito de beber sem sede, unicamente pelo prazer, um hábito que pode predispor a dependências posteriores e mais preocupantes.

E, enfim, a água sacia autêntica e naturalmente

Na linguagem corrente, assimila-se com frequência a sensação de vazio no estômago à de fome, o que não é totalmente falso. A água bebida ao longo da refeição e misturada aos alimentos aumenta o volume total do bolo alimentar e cria uma distensão no estômago e uma sensação de repleção, que são os primeiros sinais de saciedade e satisfação. Essa é uma razão a mais para se beber à mesa, mas a experiência prova que esse efeito de ocupação e o gestual da alimentação funciona também fora das refeições. Por exemplo, ao longo do período mais perigoso do dia, entre as cinco da tarde e as oito da noite, ingerir um grande copo de bebida, qualquer que seja, costuma ser o suficiente para moderar as vontades alimentares.

Atualmente, em todo o mundo, a fome encontrou um novo campo de aplicação: agora, sua pressão sobre os povos desfavorecidos, vítimas da fome, para atormentar — sem dúvida, de maneira fútil e episódica, mas dolorosa —

o ocidental que tem fome dessa gama infinita de alimentos aos quais tem acesso, mas que não pode tocar sem envelhecer ou perecer.

É surpreendente constatar que, no momento em que indivíduos, instituições e laboratórios farmacêuticos sonham em descobrir o inibidor de fome ideal e eficaz, há pessoas muito interessadas que se recusam a usar um modo tão simples, puro e comprovado quanto a água para acalmar seu apetite.

3. Essa dieta deve ser pobre em sal

O sal é um elemento indispensável à vida, e está presente em diferentes quantidades em qualquer alimento. Também o sal que se adiciona é sempre supérfluo, é apenas um condimento para melhorar o gosto dos alimentos, abrir o apetite. Frequentemente, é usado por hábito.

Uma dieta pobre em sal não apresenta qualquer risco

Podemos, e até mesmo deveríamos, viver toda nossa vida com uma alimentação pobre em sal. Cardíacos, pessoas com insuficiência renal e hipertensos vivem permanentemente em uma dieta pobre em sal, mas nunca apresentam carências. Entretanto, há uma precaução que diz respeito às pessoas naturalmente hipotensas, habituadas a viver com pressão baixa. Uma alimentação muito restrita em sal, principalmente se conjugada a um grande consumo de água, pode aumentar a filtração do sangue, reduzir seu volume e abaixar ainda mais a tensão arterial, o que pode causar cansaço e sensações de vertigem quando se levanta rapidamente. Tais pessoas terão de se contentar em não adicionar mais sal à comida e evitarão beber mais de um litro e meio de água por dia.

Uma alimentação muito salgada, por outro lado, retém e fixa a água nos tecidos

Nos países quentes, são regularmente distribuídos pacotinhos de sal aos trabalhadores, para evitar sua desidratação ao sol.

Para a mulher, em especial para as que estão sob forte influência hormonal, no período pré-menstrual, na pré-menopausa ou até mesmo durante a gravidez, inúmeras partes do corpo podem se tornar esponjosas e reter quantidades impressionantes de água.

Para elas, a dieta proteica, hidrófuga por excelência, desenvolve sua eficácia plena quando se reduz a absorção de sal ao mínimo possível, fazendo com que a água bebida atravesse o organismo mais rapidamente, medida comparável à imposta durante um tratamento com cortisona. A esse respeito, é frequente ouvir pessoas se queixando de ganhar um ou até mesmo dois quilos em uma noite, depois de comerem algo fora da dieta. Muitas vezes, também acontece de o ganho de peso não estar ligado a ter comido algo fora da dieta. Quando se analisa a refeição que pode ter levado ao ganho de peso, nunca se encontra a quantidade de alimentos correspondente ao ganho de dois autênticos quilos, ou seja, 18 mil calorias, o que é impossível de se ingerir em um espaço tão curto de tempo. Trata-se apenas da conjunção de uma refeição muito salgada e acompanhada de álcool. Esses dois elementos unem seus efeitos para tornar a travessia da água mais lenta. Não se deve esquecer que um litro de água pesa um quilo e que nove gramas de sal fixam um litro nos tecidos durante um ou dois dias.

Assim sendo, se, ao longo da dieta, uma razão imperativa o levar a ter uma refeição familiar ou profissional, obrigando-o a desrespeitar as regras, evite usar muito sal, beber demais e, principalmente, não se esqueça de se pesar no dia seguinte, pois um ganho de peso brutal e injustificado poderá desencorajá-lo e minar sua determinação e confiança. Espere o dia seguinte, ou melhor, dois dias depois, intensificando a dieta, a quantidade de água bebida e a restrição ao sal, três medidas que bastam para voltar ao peso anterior.

O sal aguça o apetite e a sua redução o diminui

Aqui, trata-se de uma constatação. Os pratos salgados aumentam a salivação e a acidez gástrica, o que aguça o apetite. Contrariamente a isso, os pratos pouco salgados estimulam poucas secreções digestivas e não têm ação sobre o apetite. Infelizmente, a ausência de sal também diminui a sede e a pessoa em dieta proteica deve aceitar ingerir uma grande quantidade de bebida nos primeiros dias, de maneira a estimular a necessidade de água e o retorno progressivo da sede natural.

Conclusão

A dieta das proteínas puras, dieta inaugural e principal motor das quatro fases integradas que compõem a dieta proteica, não é como as outras. É a única que utiliza apenas uma família de nutrientes e apenas uma categoria bem-definida de alimentos com alto teor em proteínas.

Nessa dieta, e ao longo de todo o desenrolar da dieta proteica, toda referência às calorias e à sua contagem deve ser abandonada. Consumir muitas ou poucas calorias não muda os resultados; o essencial é ficar dentro dessa categoria de alimentos.

A dieta proteica é a única cujo segredo reivindicado é o de comer muito, até mesmo de comer preventivamente, antes que a fome venha se tornar incontrolável, e não se contentando mais com as proteínas autorizadas e levando a pessoa imprudente aos alimentos de gratificação, alimentos de baixo valor nutricional, mas de forte carga emocional, doces e cremosos, ricos e desestabilizadores.

A eficácia da dieta proteica está, assim, inteiramente ligada à seleção dos produtos, fulminante enquanto a alimentação for limitada a essa categoria de alimentos, mas fortemente diminuída e independente da triste contagem de calorias quando se foge à regra.

É, desse modo, uma dieta que não pode ser feita pela metade. Faz parte da lei do tudo ou nada, que explica sua eficácia metabólica, assim como seu enorme impacto psicológico sobre a pessoa obesa, que também funciona de acordo com essa mesma lei de extremos.

Com temperamento excessivo, tão ascético em seus esforços quanto relaxado em suas desistências, o obeso tem nessa dieta um modo de funcionamento de acordo com suas medidas em cada uma das etapas da dieta proteica.

Essas afinidades entre o perfil psicológico e a estrutura da dieta criam um encontro cuja importância é difícil de ser compreendida pelo leigo mas que, na prática, é decisiva. Essa adaptação recíproca gera uma grande adesão à dieta que facilita o emagrecimento e tem toda a sua medida no estágio da estabilização final, quando todo o esforço se concentra em um único dia de proteínas puras por semana, um dia de redenção, um hábito pontual e eficaz que, sozinho e dessa forma, pode ser aceito por todos os que lutam desde sempre contra sua predisposição ao sobrepeso.

Os pratos à base de proteínas puras

As aves

Asas de frango crocantes

Preparo: 10 minutos
Cozimento: 20 minutos
Rendimento: 2 porções

INGREDIENTES:

• 3 pares de asas de frango • 1 copo pequeno de molho shoyu light • 1 dente de alho amassado • 1 colher de sopa de adoçante líquido • 4 colheres de café de condimentos (cravo, pimentão, canela, funcho e anis-estrelado) • 1 colher de café de gengibre fresco picado

Misture todos os ingredientes em um recipiente. Deixe marinar durante duas a três horas, mexendo de vez em quando.

Leve ao forno em uma forma para assar e cozinhar na grelha. Quando as asas do frango começarem a dourar (em 5 a 10 minutos), vire-as e deixe-as cozinhar por mais 5 a 10 minutos.

Peito de peru em papelotes

Preparo: 15 minutos
Cozimento: 30 minutos
Rendimento: 4 porções

INGREDIENTES:

• 4 peitos de peru (100g cada) • 4 colheres de sopa de mostarda • 4 fatias de presunto magro • Mistura de ervas • Sal, pimenta-do-reino

Preaqueça o forno a 180 graus. Tire a gordura dos peitos de peru, se necessário, e disponha-os em papelotes no papel-alumínio. Unte os peitos de peru com uma colher de mostarda, envolva-os com uma fatia de presunto magro e salpique com as ervas. Adicione sal e pimenta-do-reino.

Adicione um pouco de água, feche os papelotes e leve ao forno por 30 minutos.

Torta de frango

Preparo: 10 minutos
Cozimento: 60 minutos
Rendimento: 4 porções

INGREDIFNTES:

• 1 peito de frango cozido e desfiado • 1 tomate • 1 cebola • 2 ovos inteiros • 1 iogurte desnatado • 4 colheres de sopa cheias de queijo cottage com 0% de gordura • 2 colheres de sopa de requeijão cremoso com 0% de gordura • Sal e orégano a gosto

Misture os ovos, o iogurte, o queijo cottage, o requeijão cremoso, o sal e o orégano e bata bem no liquidificador. Transfira essa massa líquida para uma forma com fundo removível. Cozinhe o frango e desfie. Refogue o frango com os tomates e a cebola picados, o sal e os temperos de sua preferência. Deixe o refogado secar no fogo. Se achar que o frango ficou muito pálido, acrescente 1 colher de sopa de extrato de tomate.

Numa forma de fundo removível, monte a torta com uma camada de massa, o recheio e termine com mais uma camada de massa. Leve ao forno a 180 graus.

Receita criada por Luiza Nadal

Sushi de presunto de frango ao kani

Preparo: 20 minutos
Sem cozimento
Rendimento: 4 porções

INGREDIENTES:

• 8 fatias de presunto de frango • 16 palitos de kani (2 palitos por fatia) • Cebolinha

Enrole o kani no presunto de frango com a cebolinha. Em seguida, corte em fatias como um sushi. Sirva gelado com uma pitada de molho de soja light.

Espetinhos de frango com mostarda

Preparo: 20 minutos
Cozimento: 15 minutos
Rendimento: 4 porções

INGREDIENTES:

• 4 peitos de frango • 2 colheres de sopa de mostarda forte • 1 colher de café de suco de limão • ½ dente de alho picado • 250ml de água quente • 1 cubo de caldo de frango sem gordura • 500ml de leite desnatado • 1 colher de café de amido de milho

Corte os peitos de frango em grandes pedaços e coloque-os em um recipiente. Em uma tigela, misture a mostarda, o suco de limão, o alho e a mistura da água quente com o caldo de frango. Regue o frango com três quartos do molho. Misture bem e leve à geladeira por 2 horas.

Passadas as 2 horas, coloque os pedaços de frango em espetos e leve ao forno a 200 graus para assar durante 15 minutos.

Em uma panela pequena, adicione o restante do molho e o leite (no qual deverá se misturar o amido de milho). Leve a panela ao fogo brando para engrossar o molho.

Espetos de frango no iogurte

Preparo: 30 minutos
Cozimento: 10 minutos
Rendimento: 2 porções

INGREDIENTES:

• 500g de peito de frango • 1 colher de café de cúrcuma • Uma pitada de pimenta forte • ½ colher de café de cominho em pó • ½ colher de café de coentro em pó • Algumas cebolas pequenas • 2 iogurtes com 0% de gordura • ½ limão • Sal, pimenta-do-reino

Corte o peito de frango em pedaços. Coloque-os em um prato fundo com os temperos e o iogurte. Misture bem. Cubra e deixe marinar por três horas na geladeira.

Escorra os pedaços de frango e coloque-os em espetos, alternando com as cebolas previamente cortadas em quatro. Adicione sal e pimenta-do-reino. Asse por 10 minutos na grelha do forno.

Durante esse tempo, descasque e pique duas cebolas e refogue durante 2 a 3 minutos em uma frigideira a fogo médio. Passe em um mixer junto com o preparo marinado. Esquente aos poucos, sem deixar ferver. Adicione sal e pimenta-do-reino e finalize com um pouco de suco de limão. Sirva os espetos imediatamente com o molho de acompanhamento.

Espetos de frango temperado

Preparo: 30 minutos
Cozimento: 10 minutos
Rendimento: 5 porções

INGREDIENTES:

• 1 kg de peito de frango • 250ml de iogurte com 0% de gordura • 1 colher de café de pimenta em pó • 1 colher de café de cúrcuma • 1 colher de café de cominho moído • 1 colher de café de coentro em pó • 1 colher de café de gengibre raspado • 1 dente de alho amassado

Mergulhe 25 espetos de madeira em um pouco de água para que não queimem enquanto assam. Tire a gordura do peito de frango e corte-o em pedaços. Prepare o molho com o iogurte e os temperos. Coloque os pedaços de frango nos espetos e, em um prato fundo, faça com que fiquem totalmente cobertos de molho. Deixe várias horas ou uma noite inteira na geladeira. Em seguida, coloque os espetos em uma grelha ou placa para churrasco e asse durante 8 a 10 minutos, até o frango ficar macio e dourado.

Frango no limão em crosta de sal

Preparo: 25 minutos
Cozimento: 50 minutos
Rendimento: 2 porções

INGREDIENTES:

• 1 bouquet garni • 2 limões verdes • 1 cebola • 1 frango de 400 a 500g • 2 claras de ovo • 2 kg de sal grosso • Sal, pimenta-do-reino

No dia anterior, coloque o bouquet garni, o suco de meio limão, uma cebola descascada e cortada em pedaços e o frango para marinar em um litro de água.

No dia seguinte, recheie o interior do frango com os temperos da marinada. Misture as claras de ovo com o sal grosso e cubra uma forma com esse preparo. Coloque o frango no meio da forma e cubra-o com o restante do sal.

Leve ao forno durante 50 minutos à temperatura de 210 graus.

Para servir, quebre a crosta de sal com uma colher, corte o frango em dois e regue com o suco de limão.

Coxas de frango em papelotes

Preparo: 10 minutos
Cozimento: 45 minutos
Rendimento: 2 porções

INGREDIENTES:

• 100g de queijo cottage com 0% de gordura • 1 chalota picada • 1 colher de sopa de salsa picada • 20 talos de cebolinha picada • 2 coxas de frango • Sal, pimenta-do-reino

Preaqueça o forno a 150 graus. Prepare o recheio, misturando o queijo cottage, a chalota, a salsa e a cebolinha. Adicione sal e pimenta-do-reino. Tire a pele das coxas de frango com a ajuda de uma faca pontiaguda, cortando uma fenda de cerca de dois centímetros na parte mais espessa da carne. Adicione o recheio pela fenda e revista as coxas de frango com o restante do preparo.

Corte duas folhas de papel-alumínio: disponha as coxas no meio de cada folha e feche, fazendo um papelote. Coloque um pouco de água na forma e disponha os papelotes. Leve ao forno durante 45 minutos.

Escalopes de peru em papelotes

Preparo: 20 minutos
Cozimento: 25 minutos
Rendimento: 4 porções

INGREDIENTES:

• 4 escalopes de peru • 100g de requeijão com 0% de gordura • 1 colher de café de amido de milho • 2 colheres de café de mostarda

• 2 colheres de café de mostarda de Dijon • 2 colheres de café de pimenta-do-reino vermelha • 2 maços de tomilho • Sal, pimenta-do-reino

Preaqueça o forno a 180 graus. Refogue os escalopes em uma frigideira antiaderente ou na grelha, durante um minuto para cada lado. Reserve em um prato. Misture o requeijão, o amido de milho e as mostardas em uma tigela. Adicione sal e pimenta-do-reino e a pimenta-do-reino vermelha já moída.

Corte quatro retângulos de papel-manteiga de 20x30cm. Disponha um escalope em cada pedaço da folha e depois adicione o molho. Salpique com tomilho.

Feche os papelotes, dobrando o papel-manteiga diversas vezes. Disponha os papelotes em um grande prato que vá ao forno e asse durante 25 minutos.

Sirva quente.

Escalopes de frango tandoori

Preparo: 15 minutos
Cozimento: 20 minutos
Rendimento: 6 porções

INGREDIENTES:

• 2 iogurtes com 0% de gordura • 2 colheres de café de tandoori masala (temperos indianos) • 3 dentes de alho amassados • 2 centímetros de gengibre amassado • 2 pimentas-verdes amassadas • Suco de um limão • 6 escalopes de frango • Sal, pimenta-do-reino

Misture todos os ingredientes, menos o frango. Amasse bem o alho, o gengibre e as pimentas, para que a mistura fique homogênea. Corte a carne do frango para que a mistura penetre e deixe marinando durante uma noite na geladeira.

No dia seguinte, asse por 20 minutos no forno a 180 graus, depois leve à grelha para dourar.

Escalopes de frango ao curry e ao iogurte

Preparo: 5 minutos
Cozimento: 5 minutos
Rendimento: 4 porções

INGREDIENTES:

• 2 iogurtes naturais com 0% de gordura • 3 colheres de café de curry • 4 escalopes de frango • Sal, pimenta-do-reino

Prepare as brasas do churrasco.

Misture os iogurtes, o sal, a pimenta-do-reino e o curry em pó. Deixe marinar os escalopes durante 2 horas na geladeira.

Grelhe os escalopes durante 5 minutos, mergulhando-os uma ou duas vezes na marinada ao longo do cozimento.

Frango na erva-doce

Preparo: 30 minutos
Cozimento: 55 minutos
Rendimento: 8 porções

INGREDIENTES:

• 1,5kg de escalopes de frango • 2 cebolas pequenas frescas • 3 talos de erva-doce • Uma pitada de pimenta em pó • 2 colheres de sopa de molho de peixe (nam plá) • 2 colheres de sopa de molho shoyu light • 2 colheres de sopa de adoçante líquido • Sal, pimenta-do-reino

Corte o frango em fatias finas. Descasque as cebolas e pique. Corte a erva-doce bem fina.

Em uma panela, doure o frango e cozinhe durante 10 minutos com um pouco de óleo. Adicione as cebolas, a erva-cidreira, a pimenta, o molho de peixe, o molho shoyu, o adoçante, o sal e a pimenta-do-reino.

Diminua o fogo. Cubra e deixe cozinhar durante 45 minutos.

Frango à moda indiana

Preparo: 40 minutos
Cozimento: 1 hora
Rendimento: 4 porções

INGREDIENTES:

• 1 limão • 1 raiz de gengibre • 3 dentes de alho • 1 frango inteiro cortado • 3 iogurtes naturais com 0% de gordura • 1 colher de café de canela • 2 pitadas de pimenta-caiena • 1 colher de café de grãos de coentro • 3 cravos • 10 folhas de menta • 2 cebolas • 1 colher de sopa de água • 1 cubo de caldo de galinha sem gordura • Sal, pimenta-do-reino

Descasque o limão. Descasque o gengibre e pique para obter quatro colheres de sopa. Descasque os dentes de alho e pique. Misture o iogurte, o gengibre, o alho, os temperos, o limão e as folhas de menta picadas em um recipiente.

Adicione os pedaços de frango salgados e com pimenta-do-reino e deixe marinar na geladeira durante 24 horas.

No dia seguinte, pique as cebolas, refogue em uma frigideira antiaderente com água, depois acrescente o frango e seu molho.

Deixe cozinhar em fogo brando durante cerca de 1 hora. Com o resto do molho, faça uma sopa com o caldo de frango sem gordura.

Sirva bem quente.

Frango com gengibre

Preparo: 20 minutos
Cozimento: 1 hora
Rendimento: 4 porções

INGREDIENTES.

• 1 frango • 2 cebolas grandes • 3 dentes de alho • Alguns cravos • 5 gramas de gengibre • Sal, pimenta-do-reino

Corte o frango em pedaços. Refogue as cebolas e os dentes de alho descascados e picados em uma frigideira ligeiramente untada em fogo brando.

Acrescente os pedaços de frango, nos quais os cravos terão sido fixados. Cubra com água. Adicione o gengibre raspado, sal e pimenta-do-reino.

Deixe cozinhar em fogo médio até a água evaporar.

Frango com tomilho

Preparo: 35 minutos
Cozimento: 30 a 35 minutos
Rendimento: 4 porções

INGREDIENTES:

• 1 frango • 1 maço de tomilho fresco • 2 chalotas • 3 iogurtes com 0% de gordura • ½ limão • 1 maço de salsa • Algumas folhas de menta • 1 dente de alho • Sal, pimenta-do-reino

Corte o frango em pedaços e tempere. Adicione uma boa quantidade de água no compartimento inferior de uma panela de cozimento a vapor, adicione sal e leve para ferver. Espalhe a metade do tomilho na parte mais alta da panela. Disponha os pedaços de frango sobre o tomilho. Cubra com o resto do tomilho e com as chalotas descascadas e picadas. Feche a tampa e deixe cozinhar de 30 a 35 minutos a partir do momento em que o vapor começar a escapar.

Enquanto isso, coloque os iogurtes em uma tigela, adicione o suco de meio limão, as folhas de menta secas e picadas, o dente de alho cortado finamente. Adicione sal e pimenta-do-reino, reserve na geladeira até o momento de servir, como acompanhamento do frango.

Frango com iogurte

Preparo: 15 minutos
Cozimento: 1 hora e 30 minutos
Rendimento: 4 porções

INGREDIENTES:

• 1 frango inteiro • 120g de cebola picada • 2 iogurtes com 0% de gordura • ½ colher de café de gengibre em pó • ½ colher de páprica

• 2 colheres de café de suco de limão • 2 colheres de café de curry • Raspas de ½ limão • Sal, pimenta-do-reino

Corte o frango, tire a pele e coloque os pedaços em uma frigideira antiaderente. Coloque os demais ingredientes sobre o frango e tampe.

Deixe cozinhar durante cerca de 1 hora e 30 minutos em fogo brando.

Tempere a gosto e, se necessário, retire a tampa no final do cozimento para reduzir o molho.

Sirva bem quente.

Frango com limão

Preparo: 15 minutos
Cozimento: 45 minutos
Rendimento: 4 porções

INGREDIENTES:

• 500g de frango • 1 cebola picada • 2 dentes de alho • ½ colher de café de gengibre moído • Suco e raspas de dois limões • 2 colheres de sopa de molho shoyu light • 1 bouquet garni • Uma pitada de canela • Uma pitada de gengibre em pó • Sal, pimenta-do-reino

Corte o frango em cubos de tamanho médio.

Em uma panela de revestimento antiaderente, refogue a cebola, o alho e o gengibre em fogo médio durante 3 ou 4 minutos.

Adicione o frango e cozinhe em fogo alto durante 2 minutos, mexendo com uma espátula. Adicione o suco dos limões, o molho shoyu e 150ml de água. Acrescente o bouquet garni, a canela, o gengibre em pó e as raspas de limão. Tempere com sal e pimenta-do-reino e deixe cozinhar com a panela fechada a fogo brando durante 45 minutos.

Sirva bem quente.

Frango tandoori

Preparo: 30 minutos
Cozimento: 35 minutos
Rendimento: 4 porções

INGREDIENTES:

• 4 coxas de frango • Suco de um limão • 4 colheres de sopa de pasta de curry tandoori • 2 iogurtes com 0% de gordura • 1 dente de alho • Sal, pimenta-do-reino

Tire a pele das coxas de frango e divida-as em duas, na articulação. Faça diversos cortes na carne. Disponha os pedaços de frango em um prato fundo. Adicione o suco de limão.

Em uma tigela grande, misture a pasta de curry tandoori, os iogurtes e o dente de alho amassado. Adicione sal e pimenta-do-reino. Derrame a mistura sobre o frango. Tampe. Deixe marinar pelo menos seis horas na geladeira, virando os pedaços dentro da marinada de duas a três vezes.

Retire as coxas do frango da marinada. Escorra e disponha sobre a grelha do forno, cozinhando por 35 minutos e virando os pedaços, passando-os no restante da marinada de três a quatro vezes.

Sauté de frango com pimenta

Preparo: 35 minutos
Cozimento: 6 minutos
Rendimento: 4 porções

INGREDIENTES:

• 4 peitos de frango • 6 cebolas vermelhas pequenas (ou chalotas) • 3 a 6 pimentas frescas • 4 dentes de alho • Um pedaço de gengibre fresco • 1 folha de erva-cidreira • 150ml de água • Sal, pimenta-do-reino

Tire a pele dos peitos de frango e corte cada um em oito pedaços no sentido vertical.

Pique a cebola em tiras finas para a decoração do prato. Lave e descasque as pimentas, as cebolas ou chalotas, o alho, a raiz do gengibre e a folha de erva-cidreira. Bata as pimentas, a metade do gengibre e a erva-cidreira no liquidificador. Reserve.

Bata as cebolas, o alho e a outra metade do gengibre até virar um purê.

Em uma frigideira antiaderente ligeiramente untada de óleo, refogue o purê de pimenta durante 1 a 2 minutos. Acrescente os pedaços de frango, misture de maneira que fiquem bem envolvidos no purê. Adicione a água e incorpore ao purê de cebola. Tempere com sal e pimenta-do-reino. Deixe cozinhar em fogo alto durante 5 minutos, com a frigideira destampada.

Sirva quente com as fatias de cebola para a decoração.

Suflê de fígado de galinha

Preparo: 20 minutos
Cozimento: 30 minutos
Rendimento: 2 porções

INGREDIENTES:

• 250g de fígado de galinha • 1 dente de alho descascado • 1 maço de salsa • 4 ovos • 500ml de molho bechamel Dukan (ver página 195) • Sal, pimenta-do-reino

Refogue o fígado de galinha em uma frigideira antiaderente ligeiramente untada de óleo, depois pique o alho e a salsa. Separe as gemas das claras dos ovos.

Adicione o picado de fígado e as gemas ao molho bechamel. Misture.

Bata as claras em neve. Incorpore as claras à mistura anterior. Tempere com sal e pimenta-do-reino.

Leve ao forno a 180 graus durante 30 minutos, observando sempre a mudança de coloração.

Terrina de frango

Preparo: 40 minutos
Sem cozimento
Rendimento: 8 porções

INGREDIENTES:

• 2 sachês de gelatina • 500ml de água • 1 maço grande de salsa • 200g de cubos de frango (ou de presunto de peru)

Em uma panela, dissolva dois sachês de gelatina em 500ml de água. Leve para ferver em fogo baixo, sem parar de mexer. Assim que aparecerem os primeiros sinais de fervura, retire do fogo e deixe esfriar.

Lave, tire os caules e corte a salsa bem picadinha.

Derrame uma camada fina de gelatina em uma forma para bolo e leve ao congelador por 3 minutos.

Misture a gelatina restante, a salsa picada e os cubos de frango (ou de peru).

Derrame a metade da mistura na forma e leve à geladeira por 15 minutos.

Coloque o restante da mistura na forma e leve à geladeira durante 2 horas.

Na hora de desenformar, coloque água quente no fundo da forma.

As carnes

Aperitivo de presunto

Preparo: 15 minutos
Sem cozimento
Rendimento: 4 porções

INGREDIENTES:

• 170 gramas de presunto sem gordura moído • 225g de queijo cottage com 0% de gordura • um pouco de cebolinha • 4 chalotas picadas • Manjerona ou outro tempero, de acordo com seu gosto • Algumas gotas de molho Tabasco

Misture todos os ingredientes. Faça pequenas bolinhas e disponha-as em um prato decorativo.

Almôndegas de carne com ervas

Preparo: 30 minutos
Cozimento: 5 minutos por fornada
Rendimento: 3 porções

INGREDIENTES:

• 1 cebola média • 750g de carne de boi • 2 dentes de alho • 1 ovo • 2 colheres de sopa de molho de ameixas chinês (Plum Sauce) • 1 colher de sopa de molho inglês • 2 colheres de sopa de alecrim • 1 a 2 colheres de sopa de menta (ou manjericão) • Sal, pimenta-do-reino

Misture a cebola picada, a carne moída, o alho amassado, o ovo ligeiramente batido, os molhos e as ervas finamente picadas. Tempere com sal e pimenta-do-reino.

Faça almôndegas do tamanho de uma noz. Cozinhe em pequenas quantidades em uma panela, no fogo médio, durante 5 minutos, até que fiquem uniformemente douradas.

Retire o excesso de gordura com um papel-toalha. Sirva com molho de tomate.

Fraldinha marinada na Coca-Cola Zero

Preparo: 10 minutos
Cozimento: 40 minutos
Rendimento: 5 porções

INGREDIENTES

• 1 peça de fraldinha de aproximadamente 1kg a 1,5kg ou outra carne de sua preferência sem gordura • 600ml a 800ml de Coca-Cola Zero • 10 minicebolinhas • Temperos e sal a gosto

Tempere a carne com todos os temperos a seu gosto. Coloque-a dentro de um saco plástico e acrescente a Coca-Cola Zero. Feche o saco plástico com um nó, de maneira que o refrigerante envolva toda a carne. Apoie o saco plástico em um refratário/assadeira e deixe marinando na geladeira por algumas horas. Coloque a carne na panela de pressão e sele para dourar. Adicione a Coca Zero e acrescente de 100 a 200ml de água, se necessário, até cobrir toda a carne.

Receita criada por Luiza Nadal

Polpetone assado

Preparo: 15 minutos
Cozimento: 30 minutos
Rendimento: 4 porções

INGREDIENTES

• 500g de carne moída sem gordura • 1 colher de sopa de farelo de trigo • 1 colher de sopa de queijo cottage com 0% de gordura • 1 clara • 4 cubos grandes de queijo branco com 0% de gordura sem soro • 2 colheres de sopa de molho de tomate fresco • Sal, cebola, alho, cebolinha e temperos a gosto

Coloque o farelo de trigo de molho em água e escorra bem. Misture a carne moída ao farelo de trigo e todos os temperos. Acrescente o queijo cottage e as claras para não ressecar a massa. Recheie com o queijo branco e leve ao forno para assar. Vire dos dois lados. Após assado, regue com o molho de tomate e sirva.

Receita criada por Luiza Nadal

Filé bovino à cassarola

Cozimento: 10 minutos
Rendimento: 2 porções

INGREDIENTES:

• 360g de filé bovino (2 filés) • 1 cebola roxa • Sal grosso e pimenta

Frite os filés em uma panela (ao ponto ou bem cozido, de acordo com seu gosto) e adicione a cebola picada, sal e pimenta.

Os ovos

Mexido de salmão defumado

Preparo: 10 minutos
Cozimento: 10 minutos
Rendimento: 4 porções

INGREDIENTES:

• 100g de salmão defumado • 8 ovos • 80ml de leite desnatado • 1 colher de sopa de queijo cottage com 0% de gordura • 4 folhas de cebolinha • Sal, pimenta-do-reino

Corte o salmão defumado em fatias finas. Bata os ovos em uma tigela. Tempere com um pouco de sal e pimenta-do-reino. Esquente uma panela com um pouco de leite desnatado no fundo. Misture os ovos e cozinhe em fogo brando, mexendo com uma espátula.

Fora do fogo, adicione o salmão e o queijo cottage. Sirva imediatamente. Decore com algumas folhas de cebolinha.

Ovos mexidos

Preparo: 10 minutos
Cozimento: 10 minutos
Rendimento: 2 porções

INGREDIENTES:

• 4 ovos • ½ litro de leite desnatado • Uma pitada de noz-moscada • 2 ramos de salsa picada (ou cebolinha) • Sal, pimenta-do-reino

Bata os ovos, adicione o leite, depois o sal e a pimenta-do-reino. Raspe um pouco de noz-moscada e cozinhe aos poucos, em uma panela em banho-maria, mexendo sem parar. Sirva imediatamente, salpicando um pouco de salsa ou cebolinha.

Ovos mexidos com caranguejo

Preparo: 10 minutos
Cozimento: 10 minutos
Rendimento: 4 porções

INGREDIENTES:

• 6 ovos médios • 2 colheres de sopa de molho de peixe • 100g de carne de caranguejo • 2 chalotas médias

Em uma tigela, bata ligeiramente os ovos e o molho de peixe. Escorra bem a água da carne de caranguejo. Descasque as chalotas.

Refogue as chalotas durante um minuto em uma frigideira antiaderente, até que fiquem douradas. Em seguida, acrescente os ovos.

Refogue o caranguejo, até que fique ligeiramente dourado. Em seguida, adicione os ovos e misture.

Cozinhe a mistura durante 3 a 5 minutos em fogo médio, até que fique dourado, sem ficar marrom. Retire do fogo e sirva imediatamente.

Ovos em minicaçarolas com salmão

Preparo: 10 minutos
Cozimento: 5 minutos
Rendimento: 6 porções

INGREDIENTES.

• 12 colheres de café de queijo cottage com 0% de gordura • Estragão (ou cerefólio) picado • 2 grandes fatias de salmão defumado • 6 ovos • Sal, pimenta-do-reino

Em cada tigela, adicione uma colher de café de queijo cottage e uma pitada de estragão (ou cerefólio). Corte cada fatia de salmão em três e leve as tiras em cada tigela. Em seguida, adicione um ovo.

Disponha as tigelas em uma frigideira cheia de água fervente, como em um banho-maria. Tampe e deixe cozinhando durante 3 a 5 minutos em fogo médio.

O salmão pode ser substituído por presunto, peito de peru ou qualquer outra proteína a seu gosto.

Ovos cozidos ao curry

Preparo: 10 minutos
Cozimento: 10 minutos
Rendimento: 1 porção

INGREDIENTES:

• ½ cebola • 8 colheres de sopa de leite desnatado • Uma pitada de amido de milho • 1 colher de café de curry • 2 ovos cozidos • Sal, pimenta-do-reino

Em uma panela, cozinhe a cebola com a metade do leite durante 10 minutos em fogo médio, mexendo sem parar.

Acrescente o amido de milho e o restante do leite, mexendo energicamente. Adicione sal, pimenta-do-reino e o curry.

Corte os ovos cozidos em rodelas e disponha-os em um prato. Derrame o molho sobre os ovos.

Omelete de atum

Preparo: 10 minutos
Cozimento: 10 minutos
Rendimento: 4 porções

INGREDIENTES:

• 2 filés de anchova • 8 ovos • 200g de atum em lata (sem gordura) • 1 colher de sopa de salsa picada • Pimenta-do-reino

Corte as anchovas em tiras finas. Bata os ovos, adicionando as anchovas e o atum. Tempere com a salsa e a pimenta-do-reino.

Cozinhe a omelete em uma frigideira antiaderente ligeiramente untada de óleo, em fogo médio. Sirva imediatamente.

Omelete com tofu

Preparo: 15 minutos
Cozimento: 5 minutos
Rendimento: 4 porções

INGREDIENTES:

• 2 ovos • 2 colheres de sopa de molho shoyu light • 1 dente de alho picado • ½ cebola picada • 400g de tofu cortado em pequenos cubos • ½ pimentão verde picado • 1 colher de sopa de salsa picada • Pimenta-do-reino

Em um recipiente, misture os ovos aos temperos. Adicione o tofu e o pimentão. Misture.

Despeje a mistura em uma frigideira e cozinhe em fogo brando. Salpique com a salsa antes de servir.

Pizza Dukan marguerita

Preparo: 15 minutos
Cozimento: 1 hora
Rendimento: 4 porções

INGREDIENTES:

• 300ml de leite desnatado • 4 colheres de sopa de queijo cottage com 0% de gordura • 2 colheres de sopa de ricota fresca light • 2 colheres de sopa de requeijão com 0% de gordura • 3 gemas • 4 claras • Cubos de queijo branco com 0% de gordura sem soro • 4 tomates-cereja • Folhas de manjericão • Sal, orégano e temperos a gosto

Coloque as gemas e claras na batedeira e bata até obter um creme claro e com maior volume. Com o mixer, bata o leite, o queijo cottage, a ricota e o requeijão. Junte essa mistura ao creme e ajuste os temperos. Coloque a massa em uma forma com fundo removível, acrescente alguns cubos de queijo branco e leve ao forno. Quando a massa já estiver firme e quase pronta, coloque os tomates-cereja e o queijo branco por cima para não afundar e leve novamente ao forno para terminar o cozimento e gratinar. Coloque as folhas de manjericão fresco na hora de servir.

Receita criada por Luiza Nadal

Pequenos pudins de caranguejo

Preparo: 10 minutos
Cozimento: 45 minutos
Rendimento: 5 porções

INGREDIENTES:

• 200g de salmão defumado em fatias • 2 ovos • 1 colher de sopa de amido de milho • 350ml de leite • 200g de carne de caranguejo • Um pouquinho de caldo de peixe em cubo • Sal, pimenta-do-reino

Distribua as fatias de salmão defumado em tigelinhas. Bata os ovos, o amido de milho diluído no leite e, em seguida, a carne de caranguejo. Tempere o caldo de peixe com sal e pimenta-do-reino.

Leve ao forno em banho-maria durante 45 minutos, a temperatura de 180 graus.

Pão de hambúrguer

Preparo: 15 minutos
Cozimento: 30 minutos
Rendimento: 4 porções

INGREDIENTES:

• 2 gemas • 4 claras • 8 colheres de sopa de farelo de aveia • 4 colheres de sopa de farelo de trigo • 4 colheres de sopa de pasta de cottage com 0% de gordura em temperatura ambiente • 4 colheres de sopa de iogurte com 0% de gordura em temperatura ambiente • 1 envelope de fermento biológico para pães em pó • 80 a 100ml de leite desnatado morno • 1 pitada de adoçante culinário • Sal

Coloque o envelope de fermento biológico para pães no leite morno e reserve para levedar. Bata as gemas peneiradas, a pasta de cottage e o iogurte, até obter uma massa lisa e homogênea. Acrescente o leite com o fermento e os demais ingredientes. Bata as claras em neve e misture delicadamente à massa. Despeje a massa em refratários individuais redondos. Leve ao forno a 200 graus.

Receita criada por Luiza Nadal

Quiche

Preparo: 15 minutos
Cozimento: 20 minutos
Rendimento: 2 porções

INGREDIENTES:

• 6 colheres de sopa de requeijão cremoso com 0% de gordura • 3 ovos batidos • 2 fatias de presunto de peru cortadas em pequenos pedaços • ½ cebola picada • Uma pitada de noz-moscada • Sal, pimenta-do-reino

Misture todos os ingredientes. Coloque a mistura em uma forma de torta ligeiramente untada de óleo e leve ao forno por 20 minutos a temperatura de 240 graus.

Pão de queijo

Preparo: 10 minutos
Cozimento: 20 minutos
Rendimento: 3 porções

INGREDIENTES:

• 2 gemas • 3 claras em neve • 12 colheres de sopa de leite em pó desnatado • 4 colheres de sopa de queijo cottage light • 1 colher de sopa de requeijão cremoso com 0% de gordura • 2 colheres de café de fermento em pó • Cubinhos de queijo branco com 0% de gordura sem soro

Bata as gemas, o leite em pó, o queijo cottage, o requeijão, o sal e, por último, o fermento. Acrescente delicadamente as claras em neve à massa. Coloque a massa em forminhas de silicone. Com uma colher, coloque o queijo branco para "afundar" no centro da massa. Encha bem as forminhas. Leve ao forno a 160 graus até dourar.

Receita criada por Luiza Nadal

Biscoito de queijo

Preparo: 5 minutos
Cozimento: 15 minutos
Rendimento: 2 porções

INGREDIENTES:

• 4 colheres de sopa de farelo de aveia • 2 colheres de sopa de leite em pó desnatado • 1 ovo inteiro • 1 colher de sopa de creme de ricota light • 1 colher de sobremesa de leite desnatado • 2 fatias grossas de queijo branco com 0% de gordura sem soro • 1 colher de café de fermento químico em pó • Sal

Bata todos os ingredientes menos o queijo branco com um mixer. Acrescente o queijo branco e veja se a massa precisa de mais um pouco de leite desnatado para ficar com consistência firme para modelar. Leve ao forno a 180 graus por 15 minutos.

Receita criada por Luiza Nadal

Os peixes e frutos do mar

Trança de linguado e salmão

Preparo: 20 minutos
Cozimento: 40 minutos
Rendimento: 4 porções

INGREDIENTES:

• 4 filés de linguado cortados finos • 2 filés de salmão frescos • Gengibre fresco e ralado na hora • 2 colheres de sopa de shoyu light • 250ml de água • 1 cebola ralada • Gotas de limão • Sal a gosto

Tempere os peixes com a cebola, as gotas de limão e o sal e reserve. Faça uma mistura de shoyu com água e gengibre ralado e deixe marinando. Corte os peixes em tiras. Usando duas tiras de linguado e uma de salmão, faça uma trança e prenda as pontas com palitos de madeira. Coloque num refratário e regue com o molho de shoyu e gengibre. Leve ao forno coberto com papel-manteiga ou alumínio para cozinhar. Tire o papel para terminar o cozimento.

Receita criada por Luiza Nadal

Crepes de caranguejo

Cozimento: 10 minutos
Rendimento: 2 porções

INGREDIENTES:

• 3 ovos • 170g de carne de caranguejo desfiada • 2 colheres de sopa de mostarda

Misture os ingredientes, faça bolinhas e esmague com a palma da sua mão para achatar em forma de disco. Asse por 10 minutos no forno em papel-manteiga.

Bacalhau fresco com curry

Preparo: 20 minutos
Cozimento: 30 minutos
Rendimento: 4 porções

INGREDIENTES:

• 700g de bacalhau fresco • 1 cebola • 3 dentes de alho • 4 pimentas secas • 4 pimentas rocotillo • 1 colher de café de grãos de coentro • 1 colher de café de cúrcuma • 1 colher de café de cominho • 500g de tomate • 4 colheres de sopa de água • 3 colheres de sopa de suco de limão • Sal, pimenta-do-reino

Prepare o peixe, tirando os espinhos, lavando e cortando em cubos.

Pique a cebola e amasse o alho, pique as pimentas e refogue em uma panela antiaderente, ligeiramente untada de óleo.

Acrescente os temperos e cozinhe durante 5 minutos.

Adicione os tomates triturados, assim como a água e o suco de limão.

Leve para ferver.

Reduza o fogo e deixe ferver durante 15 minutos, sem a tampa.

Em seguida, acrescente os cubos de peixe. Tempere com sal e pimenta-do-reino e continue o cozimento durante 10 minutos em fogo brando.

Dourado refinado

Preparo: 15 minutos
Cozimento: 10 minutos
Rendimento: 1 porção

INGREDIENTES:

• 150g de filé de dourado • Um pouco de açafrão • 150g de queijo cottage com 0% de gordura • Sal, pimenta-do-reino

Disponha os filés de dourado em uma travessa para levar ao forno. Tempere com sal e pimenta-do-reino. Distribua o queijo cottage misturado ao açafrão sobre o peixe. Cubra com uma folha de papel-alumínio.

Leve ao forno aquecido a 210 graus por cerca de 10 minutos.

Dourado com crosta de sal

Preparo: 10 minutos
Cozimento: 1 hora e 30 minutos
Rendimento: 4 porções

INGREDIENTES:

• 1 dourado de 1kg a 1,5kg • 5kg de sal grosso

Limpe o dourado, mas sem descamá-lo. Preaqueça o forno a 250 graus. Escolha uma forma ligeiramente maior que o peixe para levar ao forno. Cubra o fundo e as bordas com papel-alumínio. Encha o fundo da forma com o sal grosso, em uma espessura de três centímetros. Coloque o dourado sobre o sal e cubra-o com o resto do sal. O peixe deve ficar inteiramente coberto.

Leve ao forno. Asse durante 1 hora, depois reduza a temperatura para 180 graus e continue assando durante 30 minutos. Desenforme o conteúdo da forma em uma tábua, virando o bloco de sal ao contrário.

Coloque sobre a mesa e quebre o bloco com a ajuda de um martelo.

Escalopes de salmão assados com molho de mostarda

Preparo: 20 minutos
Cozimento: 15 minutos
Rendimento: 4 porções

INGREDIENTES:

• 4 postas de salmão de 200g cada • 2 chalotas • 1 colher de sopa de mostarda leve • 6 colheres de café de requeijão cremoso com 0% de gordura • Aneto picado • Sal, pimenta-do-reino

Coloque o salmão no congelador durante alguns minutos, para poder cortá-lo em fatias finas de 50g.

Em uma frigideira antiaderente, doure as fatias de salmão em fogo médio, durante 1 minuto cada lado. Reserve mantendo quente.

Descasque e pique as chalotas. Na mesma frigideira, refogue e doure as chalotas, cobrindo com mostarda e requeijão cremoso. Deixe engrossar durante 5 minutos em fogo brando. Coloque novamente sobre a frigideira o salmão e o aneto picado.

Sirva imediatamente.

Filé de robalo no vapor com menta e canela

Preparo: 10 minutos
Cozimento: 10 minutos
Rendimento: 4 porções

INGREDIENTES:

• 3 ramos de menta fresca • ½ colher de café de canela em pó • 2 paus de canela • 4 filés de robalo com pele • 10g de sal grosso • ½ limão amarelo • Sal, pimenta-do-reino

No fundo de uma cuscuzeira ou uma panela a vapor, esquente a água com a menta fresca e a canela em pó. Guarde algumas folhas de menta para a decoração.

Coloque os filés de peixe na parte superior da cuscuzeira ou da panela a vapor e cozinhe por 10 minutos.

Sirva o peixe temperado com um pouco de suco de limão.

Decore com folhas de menta fresca e canela.

Filé de bacalhau fresco com chalotas e mostarda

Preparo: 20 minutos
Cozimento: 15 minutos
Rendimento: 2 porções

INGREDIENTES:

• 4 chalotas • 50g de pasta de queijo cottage com 0% de gordura • 1 colher de sopa de mostarda • 2 colheres de sopa de suco de limão • 400g de filé de bacalhau fresco • Sal, pimenta-do-reino

Preaqueça o forno a 180 graus. Pique as chalotas. Coloque-as em uma panela com uma colher de sopa de água e cozinhe até que se tornem translúcidas.

Misture a pasta de queijo cottage com a mostarda e o suco de limão. Tempere com sal e pimenta-do-reino.

Coloque a redução de chalotas no fundo de um prato que vá ao forno. Disponha o bacalhau fresco sobre as chalotas e despeje o molho de cottage. Leve ao forno por cerca de 15 minutos.

Filé de badejo à moda indiana

Preparo: 20 minutos
Cozimento: 7 minutos
Rendimento: 2 porções

INGREDIENTES:

• 1 sachê de caldo de peixe sem gordura • 300g de filé de badejo • 1 cebola média • 1 gema de ovo • ½ colher de café de curry • Uma pitada de açafrão • 1 colher de sopa de salsa picada • Sal, pimenta-do-reino

Ferva 250ml de água com o caldo de peixe. Cozinhe os filés de badejo durante cerca de 5 minutos.

Enquanto isso, descasque a cebola, dourando-a em uma frigideira antiaderente ligeiramente untada de óleo. Jogue o caldo de peixe por cima e deixe-o reduzir durante 2 minutos.

Adicione a gema de ovo diluída em um pouco de líquido. Deixe engrossar lentamente. Tempere. Acrescente o curry e o açafrão.

Arrume os filés de badejo em um prato quente e despeje o molho. Salpique com a salsa picada.

Filé de badejo à moda normanda

Preparo: 20 minutos
Cozimento: 22 minutos
Rendimento: 2 porções

INGREDIENTES:

• 150 de mexilhões inteiros • 300g de filé de badejo • 1 folha de louro • Alguns ramos de tomilho • 1 colher de café de alho picado • 1 colher de café de molho de tomate • 4 colheres de café de requeijão cremoso com 0% de gordura • Sal, pimenta-do-reino

Cozinhe os mexilhões de 8 a 10 minutos em uma frigideira coberta, até que as conchas dos mexilhões se abram. Tire as conchas e reserve 100ml do molho.

Em uma panela, cozinhe os filés de peixe com o louro, o tomilho, o alho e o molho dos mexilhões.

Deixe cozinhando durante 10 minutos.

Tire o peixe da panela, adicione o molho de tomate, o requeijão cremoso e os mexilhões. Cozinhe 2 minutos em fogo bem brando e, em seguida, cubra os filés com o molho obtido.

Filé de linguado

Preparo: 10 minutos
Cozimento: 2 minutos
Rendimento: 1 porção

INGREDIENTES:

• 200g de filé de linguado • 1 tomate fresco • 1 dente de alho picado • Algumas alcaparras • 4 folhas de manjericão

Coloque o filé de linguado em um prato para micro-ondas. Em um outro prato, misture o tomate amassado, o alho, as alcaparras e o manjericão.

Cubra o filé de peixe com essa mistura e tampe.

Cozinhe no micro-ondas durante 2 minutos em potência alta.

Filé de linguado com azedinhas

Preparo: 20 minutos
Cozimento: 4 minutos
Rendimento: 2 porções

INGREDIENTES:

• 4 filés de linguado • 2 limões espremidos • 10 folhas de azedinha picadas • Sal, pimenta-do-reino

Lave e seque os filés de peixe. Deixe-os marinando durante pelo menos 2 horas no suco de limão e nas azedinhas picadas. Escorra.

Em uma frigideira antiaderente, grelhe as duas faces dos filés marinados. Tempere com sal e pimenta-do-reino. Sirva os filés com o molho da marinada.

Fatias cruas de atum

Preparo: 15 minutos
Sem cozimento
Rendimento: 1 a 2 porções

INGREDIENTES:

• 300g de atum • 1 colher de sopa de molho shoyu light • 1 colher de sopa de suco de limão • Algumas gotas de molho Tabasco • 1 colher de sopa de ervas finas picadas • Sal

Corte o peixe ligeiramente congelado em fatias bem finas. Prepare a marinada, misturando os outros ingredientes e adicione o peixe.

Sirva em um prato decorado com limões.

Peixe no forno

Preparo: 15 minutos
Cozimento: 55 minutos
Rendimento: 4 porções

INGREDIENTES:

• 800g de filé de peixe (dourado, bacalhau fresco ou badejo) • 300g de requeijão com 0% de gordura • 4 ovos • 5 colheres de sopa de ervas picadas (salsa, estragão, cebolinha) • Sal, pimenta-do-reino

Coloque os filés de peixe em papelotes de papel-manteiga com o sal e a pimenta-do-reino e asse em forno quente por 10 minutos.

Coloque os filés cozidos em um mixer com o requeijão, os ovos, o sal, a pimenta-do-reino e as ervas finas, e bata tudo.

Molhe a forma que irá ao forno antes de despejar a mistura. Cozinhe em banho-maria no forno por cerca de 45 minutos, a 180 graus.

Enroladinhos de salmão defumado

Preparo: 10 minutos
Cozimento: 4 minutos por omelete
Rendimento: 3 porções

INGREDIENTES:

• 3 ovos • 3 colheres de sopa de água • 3 colheres de café de amido de milho • 250g de queijo cottage com 0% de gordura • 2 colheres de sopa de cebolinha picada • 1 colher de sopa de gengibre picado • 100g de salmão defumado • algumas folhas de salsa • Pimenta-do-reino

Misture um ovo, uma colher de sopa de água, uma colher de café de amido de milho e faça uma omelete fina.

Repita a operação com o resto dos ovos, da água e do amido de milho.

Espalhe o queijo cottage delicadamente em cada omelete, salpique com a cebolinha e o gengibre. Distribua o salmão e adicione pimenta-do-reino.

Enrole as omeletes, apertando bem em um papel-filme. Leve ao congelador por três horas.

Corte em fatias com uma faca bem afiada e sirva em um prato decorado com salsa.

Salmão recheado

Preparo: 30 minutos
Cozimento: 40 minutos
Rendimento: 6 porções

INGREDIENTES:

• 1 maço de salsa • 1 maço de coentro • ½ pimenta • 5 folhas de erva-cidreira • 2 cebolas • 4 dentes de alho • 1 limão • 1 colher de café de cominho • 1 colher de café de gengibre fresco ralado • 1 copo pequeno de vinho branco (100ml) • 1 salmão de 1,5kg sem a espinha dorsal • 2 ovos • Sal, pimenta-do-reino

Pique a salsa, o coentro, a pimenta, a erva-cidreira, as cebolas e o alho.

Corte o limão em fatias finas. Coloque na marinada.

Misture tudo em um recipiente, adicione o cominho, o gengibre, o vinho branco e deixe marinando algumas horas na geladeira.

Corte o salmão, tempere com sal e pimenta-do-reino.

Recheie o peixe com a marinada. Leve ao forno a 180 graus por 40 minutos, sobre uma folha de papel-manteiga.

Tartár de camarão

Preparo: 10 minutos
Sem cozimento
Rendimento: 2 porções

INGREDIENTES:

• 5 folhas de aneto • 6 colheres de sopa de maionese Dukan • 250g de camarões rosas cozidos e sem casca • 2 pitadas de páprica • Pimenta-do-reino

Lave e pique o aneto finamente. Adicione à maionese.

Pique os camarões grosseiramente e misture à maionese. Salpique com a páprica.

Misture novamente. Acrescente pimenta-do-reino.

Tartár de badejo com limões

Preparo: 20 minutos
Sem cozimento
Rendimento: 2 porções

INGREDIENTES.

• 2 chalotas • Algumas folhas de cebolinha • 400g de filé de badejo • 4 limões • 125g de requeijão cremoso com 0% de gordura • ½ limão amarelo • Sal, pimenta-do-reino

Corte finamente as chalotas. Pique a cebolinha e corte o peixe grosseiramente com uma faca. Misture e tempere

Distribua em pratos com rodelas de limão verde. Bata ligeiramente o requeijão cremoso, tempere, adicione o suco de meio limão. Despeje sobre o tartár e sirva fresco

Tartár de atum

Preparo: 15 minutos
Sem cozimento
Rendimento: 4 porções

INGREDIENTES.

• 1 kg de atum • 1 limão • 1 dente de alho • 5cm de raiz de gengibre • ½ molho de cebolinha • 1 colher de sopa de queijo cottage com 0% de gordura • 1 colher de café de óleo mineral • Sal, pimenta-do-reino

Corte o atum em pequenos cubos e regue-os com o suco de limão. Em uma tigela, misture o alho amassado, o gengibre raspado, a cebolinha picada, o queijo cottage e o óleo. Adicione sal, pimenta-do-reino e, em seguida, o peixe.

Misture e leve à geladeira por 15 minutos.

Terrina de frutos do mar

Preparo: 15 minutos
Cozimento: 30 minutos
Rendimento: 2 porções

INGREDIENTES:

• 2 colheres de sopa de farelo de trigo • 4 colheres de sopa de farelo de aveia • 3 colheres de sopa de requeijão cremoso com 0% de gordura • 3 ovos • 1 boa porção de mistura de frutos do mar (frescos ou congelados) • Sal, pimenta-do-reino e ervas aromáticas

Misture todos os ingredientes até obter uma mistura cremosa. Coloque a massa em uma forma para bolo forrada com papel-manteiga.

Asse no forno a 180 graus.

Terrina de badejo

Preparo: 20 minutos
Cozimento: 20 minutos
Rendimento: 2 porções

INGREDIENTES

• 600g de badejo • 1 sachê de caldo de peixe sem gordura • 1 ovo • 2 colheres de sopa de queijo cottage com 0% de gordura • Manjericão, estragão, coentro • Sal, pimenta-do-reino

Cozinhe o badejo no caldo de peixe. Bata no liquidificador e misture com o ovo batido e o queijo cottage.

Tempere com sal e pimenta-do-reino e, em seguida, adicione as ervas aromáticas.

Distribua a mistura em tigelas e cozinhe em banho-maria por vinte minutos.

Terrina de atum

Preparo: 15 minutos
Cozimento: 50 minutos
Rendimento: 2 porções

INGREDIENTES:

• 2 latas de atum sem gordura • 2 ou 3 colheres de sopa de queijo cottage com 0% de gordura • 2 ovos • Algumas alcaparras • Sal, pimenta-do-reino

Triture uma lata e meia de atum. Reserve o resto. Adicione o queijo cottage, os ovos, a pimenta-do-reino e o sal, misturando bem, de maneira homogênea.

Acrescente o restante do atum e as alcaparras.

Coloque a mistura em uma forma para bolo forrada com papel-manteiga e leve ao forno por 45 a 50 minutos, a 180 graus.

Atum grelhado

Preparo: 15 minutos
Cozimento: 10 minutos
Rendimento: 2 porções

INGREDIENTES:

• 2 folhas de salsa • 1 maço pequeno de orégano fresco • 1 maço pequeno de tomilho • 3 ou 4 folhas de louro • 1 limão • 1 colher de café de grãos de mostarda • 1 fatia de atum de cerca de 400 ou 500g

Em um recipiente, corte bem finamente as ervas e triture o louro. Adicione o suco de limão e os grãos de mostarda. Misture bem.

Passe as duas faces da fatia de atum na marinada.

Cozinhe o peixe na grelha durante 5 minutos (ou em uma frigideira ligeiramente untada de óleo) para cada face, em fogo alto, e regue com a marinada.

As panquecas

Panqueca de requeijão

Preparo: 20 minutos
Cozimento: 40 minutos
Rendimento: 2 porções

INGRFDIENTES:

• 5 ovos • 250ml de leite desnatado • 250g de pó de proteínas puras • algumas folhas de manjericão • 250g de requeijão cremoso com 0% de gordura • ½ sachê de fermento • alguns picles • 100g de presunto • 1 maço de cebolinha • Sal, pimenta-do-reino

Em um recipiente grande, faça uma omelete com os ovos. Aos poucos, incorpore o leite, o pó de proteínas puras, o sal, a pimenta-do-reino e as folhas de manjericão. Mexa vigorosamente com uma espátula, a fim de obter uma massa lisa.

Adicione, pouco a pouco, ainda mexendo com a espátula, o requeijão cremoso e, em último lugar, o fermento. Em seguida, acrescente um ou vários dos seguintes ingredientes: picles (e/ou), presunto (e/ou) cebolinha...

Coloque em uma forma para torta.

Leve ao forno por 40 minutos a 200 graus.

Deixe esfriar e desenforme enquanto ainda estiver morna. Esta panqueca deve ser degustada morna ou fria, como aperitivo.

Panquecas salgadas

Preparo: 20 minutos
Cozimento: 30 a 35 minutos
Rendimento: 1 porção

INGREDIENTES:

Para a base da panqueca:
• 2 colheres de sopa de farelo de aveia • 1 colher de sopa de farelo de trigo • 1 colher de sopa de requeijão cremoso com 0% de gordura • 3 ovos, com as claras batidas em neve • Sal, pimenta-do-reino

INGREDIENTES À ESCOLHA:

• 185g de atum esmigalhado, 200g de salmão defumado, 150g de presunto sem gordura ou 150g de carne moída

Misture todos os ingredientes da base da panqueca (menos as claras em neve), até obter uma massa homogênea. Adicione as ervas, o sal, e a pimenta-do-reino a gosto.

Em seguida, acrescente o ingrediente de sua escolha e as claras batidas em neve. Quando a mistura estiver pronta, despeje o conteúdo em uma frigideira aquecida em fogo médio e cozinhe por cerca de 30 minutos, virando com a ajuda de uma espátula e prosseguindo com o cozimento durante mais 5 minutos.

Panqueca doce

Preparo: 20 minutos
Cozimento: de 30 a 35 minutos
Rendimento: 1 porção

INGREDIENTES:

Para a base da panqueca:
• 2 colheres de sopa de farelo de aveia • 1 colher de sopa de farelo de trigo • 1 colher de sopa de requeijão cremoso com 0% de gordura • 1 colher de sopa de adoçante líquido • 3 ovos, com as claras batidas em neve • Aromas à escolha • 2 colheres de sopa de aroma de amêndoa sem óleo e sem açúcar ou 2 colheres de extrato de flor de laranjeira

Misture todos os ingredientes da base (menos as claras de ovo) até obter uma massa homogênea. Em seguida, incorpore os aromas de sua escolha e as claras de ovo batidas em neve.

Quando a mistura estiver homogênea, despeje em uma frigideira em fogo médio e cozinhe durante cerca de 30 minutos, virando com a ajuda de uma espátula e prosseguindo com o cozimento por mais 5 minutos.

Panqueca de presunto

Preparo: 25 minutos
Cozimento: 45 minutos
Rendimento: 1 porção

INGREDIENTES:

• 5 ou 6 fatias de presunto magro • 1 colher de sopa de requeijão com 0% de gordura

Prepare a base da panqueca. Uma vez pronta, adicione as fatias de presunto magro e uma colher de sopa de requeijão.

Leve à grelha do forno para gratinar.

Pizza de atum

Preparo: 20 minutos
Cozimento: 25 minutos
Rendimento: 1 porção

INGREDIENTES:

• 1 lata de polpa de tomate • 1 cebola grande • 1 colher de café de tomilho, orégano e manjericão • 2 pitadas de pimenta-do-reino • 180g de atum em lata (sem gordura) • 6 colheres de café de requeijão com 0% de gordura • Sal

Para a massa, use a receita da panqueca de farelo de aveia. Escorra a polpa de tomate. Refogue a cebola em uma frigideira antiaderente ligeiramente untada de óleo. Adicione a polpa de tomate, as ervas, a pimenta-do-reino e o sal. Cozinhe em fogo brando durante 10 minutos.

Escorra e esmigalhe o atum. Reserve.

Espalhe a polpa de tomate sobre a panqueca, distribua o atum e o requeijão (se desejar).

Leve ao forno por 25 minutos a 175 graus.

Torta de canela

Preparo: 25 minutos
Cozimento: 40 minutos
Rendimento: 4 porções

INGREDIENTES:

• 3 ovos • Adoçante • 250ml de requeijão cremoso com 0% de gordura • 1 colher de sopa de canela • 1 fava de baunilha • Uma base de torta preparada com a receita da panqueca

Prepare a guarnição: quebre os ovos em um recipiente e bata-os. Adicione o adoçante (a gosto) e misture até obter uma consistência cremosa.

Em seguida, adicione o requeijão cremoso e a canela. Corte a fava de baunilha em duas, esfregue para que os grãos se soltem e adicione à mistura.

Forre a forma para torta com papel-manteiga. Adicione a massa de panqueca no fundo do prato e leve ao forno por 10 minutos a 220 graus.

Despeje sobre a massa da torta e leve a mistura ao forno por mais 30 minutos.

As sobremesas

Bavaroise de requeijão com baunilha

Preparo: 15 minutos
Sem cozimento
Rendimento: 2 porções

INGREDIENTES:

• 3 folhas de gelatina • 2 claras de ovos • 440g de requeijão cremoso com 0% de gordura • Adoçante • 3 gotas de aroma de baunilha

Mergulhe as folhas de gelatina em água fria por 5 minutos. Bata as claras em neve, até que fiquem bem firmes.

Esquente três colheres de sopa de água em fogo brando. Adicione as folhas de gelatina escorridas à água quente e misture no liquidificador.

Bata o queijo branco, acrescente as claras batidas em neve, a gelatina líquida, o aroma de baunilha, e bata mais durante 2 a 3 minutos. Adoce com adoçante.

Leve à geladeira por uma noite.

Gelatina Colorida

Preparo: 10 minutos
Cozimento: 5 minutos
Rendimento: 4 porções

INGREDIENTES:

• 1 caixa de gelatina zero açúcar sabor uva • 1 caixa de gelatina zero açúcar sabor morango • 1 caixa de gelatina zero açúcar sabor limão • 1 caixa de gelatina zero açúcar sabor abacaxi • 1 envelope de gelatina sem sabor • 1 iogurte desnatado

Prepare cada gelatina (exceto a gelatina sem sabor), em recipientes separados, com apenas 300ml de água quente, para ficarem mais consistentes. Leve as gelatinas à geladeira para endurecer. Quando estiverem firmes, corte em quadrados pequenos e coloque em uma forma, mesclando os sabores e cores. Prepare a gelatina sem sabor usando 500ml de água, espere esfriar um pouco e bata no liquidificador com o iogurte desnatado. Acrescente essa mistura na forma e espalhe bem. Leve à geladeira até endurecer.

Receita criada por Luiza Nadal

Manjar

Preparo: 25 minutos
Sem cozimento
Rendimento: 4 porções

INGREDIENTES:

• 2 folhas de gelatina • 400g de requeijão cremoso com 0% de gordura • 3 colheres de sopa de adoçante • 8 a 10 gotas de extrato de amêndoa • 1 clara de ovo

Mergulhe as folhas de gelatina em um recipiente com água fria. Em uma panela pequena, esquente 50g de requeijão cremoso em fogo brando. Incorpore a gelatina cuidadosamente escorrida e prensada. Misture bem, até que haja uma dissolução perfeita.

Em um outro recipiente, adicione o requeijão restante, as duas colheres de sopa de adoçante e o extrato de amêndoa. Bata até obter uma massa lisa e acrescente à mistura de requeijão com gelatina.

Bata uma clara em neve. Quando estiver quase firme, adicione o restante do adoçante, e bata por mais alguns segundos. Incorpore a clara em neve delicadamente ao requeijão.

Distribua a mistura em quatro potes e leve à geladeira por pelo menos 2 horas.

Pudim moleza

Preparo: 5 minutos
Cozimento: 50 minutos
Rendimento: 4 porções

INGREDIENTES:

• 4 ovos inteiros em temperatura ambiente • 1 copo de requeijão cremoso com 0% de gordura em temperatura ambiente • 4 colheres de sopa rasas de adoçante culinário • 1 colher de chá de essência de baunilha

Bata todos os ingredientes no liquidificador. Disponha em forminhas de silicone. Leve ao forno a 180 graus em banho maria por aproximadamente 50 minutos.

Receita criada por Luiza Nadal

Pudim de framboesa com Goji Berry

Preparo: 5 minutos
Cozimento: 5 minutos
Rendimento: 6 porções

INGREDIENTES:

• 600ml de leite desnatado • 2 colheres de sopa de leite em pó desnatado • 2 caixas de gelatina zero açúcar sabor framboesa • 200ml de leite desnatado frio • 4 colheres de sopa de Goji Berry

Coloque as goji berries de molho nos 200ml de leite frio para hidratar. Numa panela, coloque os 600ml de leite e dissolva as gelatinas quando o leite estiver quente. Acrescente as duas colheres de leite em pó e os 200ml de leite frio (sem as goji berries). Bata no mixer até obter uma espuma. Coloque algumas goji berries no fundo de uma forma de pudim e despeje a mistura do leite com a gelatina. Pegue o restante das gojis e vá colocando delicadamente. Leve à geladeira por 2 horas para endurecer. Retire a forma da geladeira e coloque em uma assadeira com água fervente. Vá girando a forma para o pudim ir soltando das laterais e fazendo a calda.

Receita criada por Luiza Nadal

Cookies

Preparo: 10 minutos
Cozimento: 20 minutos
Rendimento: 1 porção

INGREDIENTES:

• 2 ovos • ½ colher de café de adoçante líquido • 20 gotas de essência de baunilha • 1 colher de sopa de farelo de trigo • 2 colheres de sopa de farelo de aveia

Misture as gemas dos dois ovos, o adoçante, a baunilha e os farelos em um recipiente. Bata as claras em neve até que fiquem bem firmes e incorpore delicadamente à mistura.

Transfira a mistura para a forma rasa. Leve ao forno preaquecido a 180 graus por 15 a 20 minutos.

Creme de café

Preparo: 5 minutos
Cozimento: 20 minutos
Rendimento: 4 porções

INGREDIENTES:

• 600ml de leite desnatado • 1 colher de café de extrato de café (ou de café em pó) • 2 ovos • 2 colheres de sopa de adoçante

Ferva o leite e o extrato de café. Bata os ovos com o adoçante e incorpore à mistura de leite e café, mexendo sempre.

Distribua a mistura em potinhos e cozinhe em banho-maria durante 20 minutos, no forno aquecido a 140 graus.

Sirva frio.

Creme de especiarias

Preparo: 20 minutos
Cozimento: 20 minutos
Rendimento: 4 porções

INGREDIENTES:

• 250ml de leite desnatado • 1 fava de baunilha • ½ colher de café de canela em pó • 1 cravo • 1 anis-estrelado • 2 gemas de ovo • 2 colheres de sopa de adoçante • 200g de requeijão cremoso com 0% de gordura

Coloque o leite, a baunilha cortada em duas no sentido do comprimento, a canela, o cravo e o anis em uma panela e deixe ferver.

Em um recipiente, bata as gemas de ovos com o adoçante até que a massa fique clara. Despeje aos poucos o leite quente sobre as gemas de ovos, mexendo sem parar.

Coloque o preparo em uma panela e cozinhe por 12 minutos em fogo brando, mexendo com frequência, até que o creme comece a ficar consistente.

Peneire o creme e deixar esfriar.

Incorpore o requeijão ao creme frio. Leve à geladeira.

Sirva frio.

Pudim de baunilha

Preparo: 15 minutos
Cozimento: 20 minutos
Rendimento: 2 porções

INGREDIENTES:

• 2 xícaras de leite desnatado • 3 ovos • ½ taça de adoçante culinário • Algumas gotas de extrato de baunilha • 1 pitada de noz-moscada

Preaqueça o forno a 180 graus. Unte uma forma que vá ao forno com um pouco de manteiga ou forre com papel-manteiga.

Bata o leite, os ovos, o açúcar e a baunilha. Coloque a mistura na forma e salpique a noz-moscada.

Coloque a forma em uma forma maior, para cozinhar em banho-maria, enchendo a forma maior até a metade com água fria. Leve ao forno por 20 minutos, até que o creme fique firme.

Sirva morno ou frio.

Creme batido

Preparo: 5 minutos
Sem cozimento
Rendimento: 1 porção

INGREDIENTES:

• 4 colheres de sopa de requeijão cremoso com 0% de gordura • 1 colher de sopa de adoçante culinário • 2 claras de ovos

Bata o requeijão com o adoçante. Incorpore delicadamente as claras em neve, que devem estar bem firmes.

Sirva fresco.

Creme japonês

Preparo: 5 minutos
Sem cozimento
Rendimento: 1 porção

INGREDIENTES:

• 10g de leite desnatado em pó • 1 pitada de café solúvel • 1g de gelatina • 2 colheres de chá de adoçante

Dissolva o leite em pó em 100ml de água. Acrescente o café e leve ao fogo, sem deixar ferver. Adicione a gelatina anteriormente amolecida na água fria e no adoçante.

Coloque em um copo e leve à geladeira.

Creme de baunilha

Preparo: 10 minutos
Cozimento: 20 minutos
Rendimento: 5 porções

INGREDIENTES:

• 110ml de leite desnatado • 100g de adoçante culinário • 1 fava de baunilha • 3 gemas de ovo • 1 clara de ovo

Ferva o leite e a baunilha. Retire do fogo e deixe esfriar, tire a baunilha e adicione o adoçante culinário.

Acrescente o leite já frio, as gemas e a clara. Misture e transfira para um pote.

O creme irá endurecer cozinhando em banho-maria no forno durante vinte minutos.

Sobremesa Lisaline

Preparo: 20 minutos
Cozimento: 30 minutos
Rendimento: 2 porções

INGREDIENTES:

• 2 ovos • 6 colheres de sopa de requeijão cremoso com 0% de gordura • Adoçante líquido • 1 colher de sopa de suco de limão (ou água de flor de laranjeira)

Preaqueça o forno a 180 graus. Separe as gemas das claras e misture-as gemas ao requeijão. Adicione o adoçante e o suco de limão ou água de flor de laranjeira.

Bata as claras em neve. Bata a outra misturar até que fique bem lisa, e incorpore delicadamente às claras em neve.

Distribua a mistura em tigelinhas e leve ao forno por 25 a 30 minutos, depois de 5 a 10 minutos na função grill parar dourar. Verifique o cozimento constantemente.

Pudim

Preparo: 15 minutos
Cozimento: 45 minutos
Rendimento: 4 a 5 porções

INGREDIENTES:

• 5 ovos • 375ml de leite desnatado • 1 fava de baunilha • 1 pitada de noz-moscada em pó

Bata os ovos em um recipiente grande. Esquente o leite e deixe ferver com a baunilha. Despeje o leite quente lentamente sobre os ovos. Adicione a noz-moscada em pó.

Distribua a mistura em tigelinhas e leve ao forno a uma temperatura de 160 graus. Verifique o cozimento constantemente.

Pudim de creme

Preparo: 10 minutos
Cozimento: 1 hora
Rendimento: 6 porções

INGREDIENTES:

• 4 ovos grandes • 2 favas de baunilha • 5 a 8 colheres de sopa rasas de adoçante • 500ml de leite desnatado

Preaqueça o forno 180 graus. Em um recipiente, bata os ovos com as favas de baunilha e o adoçante. Adicione o leite e, em seguida, misture.

Transfira a mistura para uma forma de bordas lisas. Asse por 1 hora.

Panetone de goji berry

Preparo: 15 minutos
Cozimento: 15 minutos
Rendimento: 2 porções

INGREDIENTES:

• 2 gemas • 3 claras • 4 colheres de sopa de creme de ricota light em temperatura ambiente • 2 colheres de sopa de iogurte desnatado em temperatura ambiente • 1 colher de sopa de leite em pó desnatado • 1 colher de sopa de farelo de aveia triturado • 2½ colheres de sopa de adoçante culinário • 1 pitada de bicarbonato de sódio • 1½ colher de chá de fermento químico em pó • 3 colheres de sopa cheias de goji berry • 1 colher de sobremesa de essência sabor panetone

Deixe as goji berries de molho na água com a essência de panetone e reserve. Bata as gemas peneiradas com o creme de ricota e o iogurte até obter um creme claro e homogêneo. Acrescente o farelo de aveia e os demais ingredientes. Escorra a água das gojis, acrescente-as à massa e bata para misturar e desprender o sabor da essência (não as deixe desmanchar). Bata as claras em neve firme e acrescente à massa delicadamente. Despeje em uma forma e leve ao forno a 160 graus.

Receita criada por Luiza Nadal

Bolo de banana

Preparo: 15 minutos
Cozimento: 40 minutos
Rendimento: 4 porções

INGREDIENTES:

• 6 colheres de sopa de farelo de aveia • 3 colheres de sopa de farelo de trigo • 8 colheres de sopa de leite em pó desnatado • 2 colheres de sopa de requeijão cremoso com 0% de gordura • 2 colheres de sopa de creme de ricota light • 5 colheres de sopa de adoçante culinário • 200ml de leite desnatado • 1 colher de chá de essência de banana • 1 colher de sobremesa de fermento químico em pó • 5 colheres de sopa de Goji Berry • 3 gemas • 3 claras

Deixe as goji berries de molho no leite desnatado com a essência de banana por aproximadamente 30 minutos. Escorra as gojis e reserve. Coloque na batedeira as gemas peneiradas, o requeijão e o creme de ricota. Bata até obter um creme, então adicione o leite aos poucos e em seguida o restante dos ingredientes secos. Bata as claras em neve firme e incorpore delicadamente à massa. Por último, acrescente as goji berries mexendo delicadamente. Despeje a massa em uma forma de silicone. Asse em forno a 180 graus por 40 minutos.

Receita criada por Luiza Nadal

Bolo de ricota e Goji Berry

Preparo: 10 minutos
Cozimento: 20 minutos
Rendimento: 2 porções

INGREDIENTES:

• 2 ovos inteiros • 1 colher de sopa de leite em pó desnatado • 4 colheres de sopa de ricota light cremosa sem sal • 3 colheres de sopa de iogurte desnatado • 2 colheres de sopa de farelo de aveia • 2½ colheres de sopa de adoçante culinário • 1 colher de chá de fermento em pó • 2 colheres de sopa cheias de Goji Berry

Bata a ricota e o iogurte com os ovos e o leite em pó até obter uma pasta lisa e sem grumos. Acrescente o farelo de aveia, o adoçante, o bicarbonato e o fermento. Misture as gojis delicadamente e espere a massa formar bolhas. Despeje em refratários individuais. Leve ao forno a 160 graus por 20 minutos.

Receita criada por Luiza Nadal

Geleia de amêndoas

Preparo: 15 minutos
Cozimento: 3 a 5 minutos
Rendimento: 2 porções

INGREDIENTES:

• 400ml de leite desnatado • 6 gotas de essência de amêndoa • 3 folhas de gelatina

Em uma panela, ferva o leite com a essência de amêndoa. Amoleça as folhas de gelatina em um pouco de água fria. Escorra-as e, em seguida, incorpore ao leite fervido e fora do fogo. Mexa até que a gelatina se dissolva completamente. Transfira para uma forma de espessura de menos de 1cm e leve à geladeira até endurecer.

Rosquinhas de canela

Preparo: 10 minutos
Cozimento: 20 minutos
Rendimento: 2 porções

• 4 colheres de sopa de farelo de aveia • 3 colheres de sopa de adoçante culinário • 3 colheres de sopa de leite em pó desnatado • 2 colheres de chá de canela em pó • 2 colheres de sopa de requeijão cremoso com 0% de gordura • 3 colheres de sopa de leite desnatado • 1 ovo inteiro • 1 colher de chá de fermento em pó

Bata o ovo e o requeijão no mixer, acrescente todos os ingredientes e por último o fermento. Coloque a massa em um saco de confeiteiro ou corte a ponta de um saco plástico resistente. Forre a assadeira com papel-manteiga e faça círculos. Asse em forno a 160 graus por 20 minutos Polvilhe adoçante e canela em pó quando sair do forno, ainda quente. Se ficarem no forno por pouco tempo elas se tornarão rosquinhas macias e crocantes por mais tempo.

Receita criada por Luiza Nadal

Granitado de café com canela

Preparo: 10 minutos
Sem cozimento
Rendimento: 2 porções

INGREDIENTES:

• 500ml de café escuro quente • Adoçante a gosto • 1 colher de café de canela em pó • 3 grãos de cardamomo

Misture o café quente, o adoçante, a canela e o cardamomo. Mexa e deixe esfriar. Transfira para um prato e leve à geladeira por cerca de 1 hora. Bata a mistura com um mixer durante um minuto.

Transfira para uma forma. Leve à geladeira por cerca de 15 minutos. Distribua em copos e sirva.

Mousse de limão

Preparo: 20 minutos
Cozimento: 2 minutos
Rendimento: 4 porções

INGREDIENTES:

• 2 folhas de gelatina • ½ limão • 1 ovo • 2 colheres de sopa de adoçante • 250g de requeijão cremoso com 0% de gordura

Mergulhe as folhas de gelatina em uma tigela de água fria. Raspe meio limão e reserve.

Quebre um ovo, separando a gema da clara. Misture a gema, o adoçante, as raspas de limão e 50g de requeijão. Misture com um batedor de ovos, para obter uma massa lisa, de cor amarelo-palha. Transfira a mistura para uma panela pequena e leve ao fogo brando. Esquente a mistura por 2 minutos, depois retire do fogo e adicione a gelatina cuidadosamente escorrida. Misture bem, até a gelatina se dissolver completamente.

Bata o requeijão para torná-lo mais liso e adicione ao creme de limão.

Bata a clara em neve, até que fique bem firme. No fim, adicione o resto do adoçante e bata por mais alguns segundos.

Incorpore delicadamente a clara em neve ao creme de limão. Leve à geladeira.

Mousse de iogurte com canela

Preparo: 15 minutos
Sem cozimento
Rendimento: 4 porções

INGREDIENTES:

• 4 ovos • 4 iogurtes com 0% de gordura • 1 colher de café de canela em pó • 3 colheres de café de adoçante em pó

Separe as gemas das claras e bata as claras em neve até que fiquem bem firmes.

Em um recipiente, bata os iogurtes. Depois acrescente a canela e o adoçante.

Incorpore as claras em neve delicadamente e reserve a mousse na geladeira.

Mousse-sorvete de limão

Preparo: 10 minutos
Sem cozimento
Rendimento: 2 a 3 porções

INGREDIENTES:

• 4 claras de ovo • 500g de requeijão cremoso com 0% de gordura • Suco de 5 limões • Raspas de um limão

Bata as claras em neve. Bata o requeijão com o batedor de ovos. Misture delicadamente o requeijão com as raspas de limão, o suco de limão e as claras.

Coloque a mousse em um pote e leve ao congelador, até que fique firme.

Muffins

Preparo: 10 minutos
Cozimento: 30 minutos
Rendimento: 4 porções

INGREDIENTES:

• 4 colheres de sopa de farelo de trigo • 8 colheres de sopa de farelo de aveia • 4 colheres de sopa de requeijão cremoso com 0% de gordura • ½ colher de café de adoçante líquido • Sabor à escolha: raspas de limão, canela, café

Preaqueça o forno a 180 graus. Bata as claras em neve.

Misture todos os outros ingredientes e, em seguida, incorpore as claras em neve.

Distribua em forminhas para muffins e leve ao forno por 20 a 30 minutos.

Sorvete de chá

Preparo: 20 minutos
Sem cozimento
Rendimento: 2 porções

INGREDIENTES:

• 300ml de água • 3 colheres de sopa de chá chinês • Suco de um limão
• 4 folhas de menta fresca

Ferva água, adicione o chá chinês e deixe em infusão durante 3 minutos, sem tampar. Peneire 60ml da infusão e coloque em um prato raso. Leve ao congelador. Mexa de vez em quando com um garfo, até a formação de pepitas. Passe o restante da infusão de chá em uma peneira e transfira para uma sorveteira com o suco de limão. Deixe na sorveteira durante cerca de 15 minutos.

Sirva em copos de sorvete. Salpique o topo com as pepitas de chá cristalizadas e adicione uma folha de menta.

Sorvete de limão

Preparo: 10 minutos
Sem cozimento
Rendimento: 2 a 3 porções

INGREDIENTES:

• 4 limões • 500g de requeijão cremoso com 0% de gordura • 3 colheres de sopa de adoçante culinário

Bata as raspas de um limão no liquidificador. Adicione o requeijão cremoso, o suco de limão e o adoçante. Leve à geladeira por quatro horas. Passe pela sorveteira durante 3 minutos.

Sorvete de iogurte

Preparo: 2 minutos
Sem cozimento
Rendimento: 2 a 3 porções

INGREDIENTES:

• 5 iogurtes com 0% de gordura • 2 limões • 2 colheres de sopa de requeijão com 0% de gordura

Bata o iogurte com um batedor de ovos. Adicione as raspas do limão, depois o suco e o requeijão. Misture bem e coloque numa sorveteira.

"Torta" de limão

Preparo: 15 minutos
Cozimento: 35 minutos
Rendimento: 6 porções

INGREDIENTES:

• 3 ovos • Adoçante • 30ml de água fria • 1 limão

Bata as gemas dos ovos com o adoçante. Adicione a água, o suco e as raspas de limão.

Cozinhe em banho-maria em fogo brando, misturando com uma espátula, até engrossar. Retire do fogo. Adicione o sal e o adoçante (a gosto) nas claras de ovos. Bata as claras em neve, até que fiquem bem firmes.

Incorpore as claras em neve à mistura de gemas. Distribua a mistura em uma forma para torta antiaderente de 28cm de diâmetro. Asse no forno a 180 graus, até que a parte de cima fique dourada.

Os pratos à base de proteínas e legumes

As aves

Peito de peru com alho-poró

Preparo: 20 minutos
Cozimento: 30 minutos
Rendimento: 4 porções

INGREDIENTES:

• 800g de alho-poró (parte branca) • 200g de peito de peru • 1 chalota • 2 ovos • 90g de requeijão cremoso com 0% de gordura • Sal

Corte o alho-poró em pequenos pedaços e cozinhe no vapor durante 10 minutos. Refogue a chalota picada e o peito de peru em uma frigideira.

Bata os ovos com o requeijão e o sal. Misture o alho-poró e o peito de peru refogado com a chalota. Transfira para uma forma ligeiramente untada de óleo. Por cima, coloque a mistura de ovos e requeijão. Leve ao forno por 20 minutos a 150 graus.

Empadinhas de frango defumado

Preparo: 45 minutos
Cozimento: 20 minutos
Rendimento: 2 unidades

INGREDIENTES:

• 7 claras de ovos • 60ml de água • 1 colher de sopa de amido de milho • 175g de peito de frango defumado • 200g de cogumelos Paris picados • 2 cebolas picadas • 2 colheres de sopa de queijo cottage com 0% de gordura • 1 colher de sopa de cebolinha picada • 20 talos de cebolinha fervidos em água, para torná-los flexíveis • Sal, pimenta-do-reino

Misture as claras, a água e o amido de milho. Esquente uma frigideira antiaderente e cozinhe a mistura de colher em colher, para obter 20 empadinhas redondas de 10cm de diâmetro. Retire o excesso de água com um papel-toalha e deixe esfriar à temperatura ambiente. Em fogo médio, refogue o frango cortado em pedaços, os cogumelos e as cebolas picadas em uma frigideira ligeiramente untada de óleo. Abaixe o fogo e adicione o queijo cottage, salpique a cebolinha e tempere com o sal e a pimenta-do-reino.

Divida o recheio entre as 20 empadinhas e feche, em forma de empada, com a ajuda dos talos de cebolinha. Conserve em local fresco e sirva à temperatura ambiente.

Espetinhos tikka

Preparo: 25 minutos
Cozimento: 10 minutos
Rendimento: 4 porções

INGREDIENTES:

• 800g de peito de frango • 1 cebola • 1 dente de alho • 20g de gengibre fresco • 2 colheres de sopa de suco de limão • 100ml de iogurte com 0% de gordura • ½ colher de sopa de coentro em pó • ½ colher de sopa de cominho em pó • 1 colher de café de garam masala (tempero indiano) • 2 colheres de sopa de coentro picado • Sal, pimenta-do-reino

Corte os peitos de frango em tirinhas de 2cm. Descasque a cebola e o alho e reduza o purê em um liquidificador. Adicione o gengibre descascado e raspado, o suco de limão, o sal, o iogurte, todos os temperos e o coentro. Em seguida, misture.

Deixe os pedaços de frango e o molho marinando por 2 horas na geladeira.

Coloque os pedaços de frango em espetinhos de madeira. Asse por 8 a 10 minutos na grelha do forno, virando regularmente.

Sirva quente, acompanhado de pepino, cebolas frescas e limão.

Espetos de frango marinado

Preparo: 30 minutos
Cozimento: 10 minutos
Rendimento: 4 porções

INGREDIENTES:

• 4 peitos de frango • 4 dentes de alho • 2 limões • 1 colher de café de cominho em pó • 1 colher de café de tomilho • 1 pimentão verde (ou vermelho, de acordo com seu gosto) • 8 cebolas • Sal, pimenta-do-reino

Um dia antes, corte os peitos de frango em pedaços, coloque-os em um prato fundo com o alho picado, o suco dos limões, o cominho, o tomilho, o sal e a pimenta-do-reino. Cubra com papel-filme e deixe marinar na geladeira até o dia seguinte.

Corte o pimentão em cubos e as cebolas descascadas em quatro, depois prepare os espetos, intercalando o frango e os legumes. Pincele o molho e asse na grelha do forno por 5 minutos cada lado.

Frango com limão e tomates-cereja

Preparo: 20 minutos
Cozimento: 40 minutos
Rendimento: 2 porções

INGREDIENTES:

• 5 ramos de tomilho • 2 frangos • 1 limão • 500ml de caldo de galinha sem gordura • 2 cebolas médias • 2 dentes de alho • 700g de tomates-cereja • Sal, pimenta-do-reino

Retire as folhas do tomilho. Desfie os frangos em um prato para ser levado ao forno. Cubra-os com as fatias de limão.

Leve ao forno por 20 minutos a 180 graus. Na metade do cozimento, regue o frango com o caldo de galinha.

Pique as cebolas e corte o alho. Tire o prato do forno. Distribua as cebolas, os tomates e o alho entre os frangos. Tempere com sal e pimenta-do-reino.

Misture tudo para cobrir os tomates. Leve novamente ao forno por mais 20 minutos.

Coxas de peru com pimentões

Preparo: 30 minutos
Cozimento: 40 minutos
Rendimento: 4 porções

INGREDIENTES:

• 2 coxas de peru • 3 pimentões vermelhos • 50ml de vinagre de vinho • 2 colheres de sopa de requeijão cremoso com 0% de gordura • Sal, pimenta-do-reino

Doure a coxas de peru em uma frigideira antiaderente com um pouco de água e deixe cozinhar sem tampa por 40 minutos, em fogo brando, mexendo regularmente. Cozinhe os pimentões em água fervente, depois descasque e retire as sementes. Corte em pedaços e bata no liquidificador para transformar em calda.

Retire as coxas da frigideira e adicione o vinagre. Adicione o requeijão, a calda de pimentão, sal e pimenta-do-reino, e deixe ferver.

Coloque as coxas em um prato e regue com o molho.

Fricassê de frango com cogumelos e aspargos

Preparo: 20 minutos
Cozimento: 20 minutos
Rendimento: 4 porções

INGREDIENTES:

• 1kg de cogumelos Paris • 2 cebolas • 1kg de peito de frango • 500g de aspargos

Refogue os cogumelos em uma frigideira antiaderente, em fogo brando, e reserve.

Corte as cebolas em fatias finas e doure em fogo brando.

Corte o frango em cubos e adicione os cogumelos. Mexa bem e deixe dourar durante 6 minutos em fogo brando.

Acrescente os aspargos cortados em fatias, depois os cogumelos, o suco de limão, o sal, a pimenta-do-reino e a salsa picada. Cozinhe em fogo médio e sem tampa durante 10 a 12 minutos.

Fricassê de frango à moda da Martinica

Preparo: 20 minutos
Cozimento: 50 minutos
Rendimento: 4 porções

INGREDIENTES:

• 1kg de frango • 250g de cogumelos Paris • 4 tomates • 2 ovos • 250g de requeijão cremoso com 0% de gordura • Sal, pimenta-do-reino

Corte o frango em dois, salgue e adicione pimenta-do-reino. Doure em uma panela ligeiramente untada de óleo em fogo médio por 10 minutos.

Adicione os cogumelos lavados e cozinhe-os sem tampa por 40 minutos. Quando 30 minutos tiverem passado, acrescente os tomates cortados em quatro.

Adicione as gemas dos ovos em uma panela pequena. Adicione o requeijão e misture bem.

Acrescente duas conchas do molho do frango e adicione à mistura. Misture bem.

Esquente o molho em banho-maria e regue o frango.

Peito de frango recheado

Preparo: 15 minutos
Cozimento: 20 minutos
Rendimento: 5 porções

INGREDIENTES:

• 10 filés de peito de frango cortados finos • 3 colheres de sopa de shoyu light • 350ml de Coca-Cola Zero • 1 cebola • Gengibre fresco ralado • Alho • Sal a gosto

RECHEIO:

• 1 maço de espinafre • 300g de ricota light • 2 colheres de sopa de requeijão cremoso com 0% de gordura

Deixe os filés de frango marinando no shoyu light e na Coca-Cola Zero por aproximadamente 2 horas. Refogue o espinafre, acrescente a ricota e o requeijão. Recheie os filés com o creme de espinafre, enrole e prenda as pontas com palitos. Coloque num refratário, leve ao forno com o molho de shoyu. Cubra com papel alumínio para não ressecar e leve ao forno por aproximadamente 15 minutos. Retire o papel alumínio e deixe dourar. Sirva com creme de espinafre cremoso.

Receita criada por Luiza Nadal

Salpicão de frango

Preparo: 20 minutos
Cozimento: 20 minutos
Rendimento: 4 porções

INGREDIENTES:

• 1 peito de frango (reserve o caldo do cozimento) • 2 cenouras raladas bem finas • 1 salsão médio laminado • Salsinha e cebolinha picadas a gosto • 1 cebola cortada em cubos pequenos • 1 dente de alho • Sal e pimenta a gosto

MOLHO:

• 1 iogurte desnatado (sem o soro) • 2 colheres de sopa de queijo cottage com 0% de gordura (sem o soro) • 1 polenguinho light • 1 colher de sopa de creme de cottage com 0% de gordura • 1 concha do caldo de frango reservado • 1 colher de chá de gengibre em pó • Folhas de hortelã fresca • Gotas de limão

Bata todos os ingredientes no mixer, ajuste o sal e temperos, se necessário adicione um pouco mais de caldo. O molho deve ficar espesso.

Receita criada por Luiza Nadal

Papelotes de frango com abobrinha

Preparo: 10 minutos
Cozimento: 20 minutos
Rendimento: 4 porções

INGREDIENTES:

• 8 peitos de frango • 4 abobrinhas • 1 dente de alho • 1 limão • 2 tomates descascados

Preaqueça o forno a 210 graus. Corte os peitos de frango em fatias pequenas. Lave e corte as abobrinhas em rodelas. Descasque e pique o alho. Pique o limão.

Em uma frigideira, refogue as abobrinhas, os tomates, o alho e o limão em fogo alto.

Em seguida, retire do fogo. Corte 4 pedaços de papel-manteiga em retângulo. Distribua o frango e os legumes nesses retângulos, e feche-os.

Leve ao forno por 15 a 20 minutos.

Frango com quiabo

Cozimento: 30 minutos
Preparo: 20 minutos
Rendimento: 4 porções

INGREDIENTES:

• 2 peitos de frango grandes cortados em cubos • 500g de quiabo cortado em fatias • 1 cubo de caldo de frango com 0% de gordura • 1 pimentão verde cortado em cubos • 1 cebola cortada em cubos • 1 dente de alho • 1 maço de coentro • 1 colher de chá de urucum (corante natural vermelho) • 500ml de vinagre branco

Marine o quiabo cortado em 500ml de vinagre branco por 10 minutos, depois escorra e lave em água fria. Em uma panela, frite o frango com a cebola, o alho e o pimentão verde por 5 minutos e adicione o caldo de galinha diluído em 500ml de água, o quiabo, o urucum e o coentro picado e cozinhe por 25 minutos em fogo baixo.

Medalhão de peru

Preparo: 30 minutos
Cozimento: 1 hora e 20 minutos
Rendimento: 4 porções

INGREDIENTES:

• 100g de cogumelos Paris • 1 cebola • Salsa • 4 escalopes de peru • 4 fatias de presunto sem gordura • 500ml de caldo de frango sem gordura • 250ml de água • Sal, pimenta-do-reino

Lave e limpe bem os cogumelos e cortando os pés com a metade da cebola e a salsa. Refogue em fogo médio durante 5 a 6 minutos, em uma frigideira antiaderente, sem gordura.

Tempere com sal e pimenta-do-reino. Coloque uma fatia de presunto em cada escalope e, em seguida, os cogumelos. refogados. Enrole os escalopes amarre-os com uma linha. Doure-os na frigideira sem gordura em fogo médio.

Corte grosseiramente o resto da cebola. Adicione o caldo e a água. Tempere com sal e pimenta-do-reino.

Leve ao fogo brando por 45 minutos, tampado. Adicione as cabeças dos cogumelos e continue cozinhando por mais 20 minutos.

Sirva imediatamente.

Frango com limão e molho curry com gengibre

Preparo: 30 minutos
Cozimento: 1 hora
Rendimento: 4 porções

INGREDIENTES:

• 1 frango • 1 bouquet garni • 1 colher de café de ervas finas • 2 folhas de louro • 1 cubo de caldo de galinha sem gordura • 1 pimentão • 5 ou 6 cenouras • 1 cebola • 1 pitada de curry • 1 colher de sopa de amido de milho • 1 limão • 1 colher de café de gengibre cortado em fatias • Sal, pimenta-do-reino

Encha uma panela com ¾ de água, e coloque o frango, o bouquet garni, as ervas, as folhas de louro, o caldo de galinha, o pimentão cortado em tiras, o sal e a pimenta-do-reino.

Deixe ferver, cubra com tampa e cozinhe durante 50 minutos em fogo brando. Adicione as cenouras e cozinhe por mais 10 minutos.

Em uma frigideira levemente untada de óleo, em fogo médio, coloque a cebola cortada em fatias, o curry, o amido de milho diluído em um pouco de água, o limão cortado em quatro e o gengibre fresco cortado em fatias.

Corte o frango, e retire as peles, junte ao molho. Acerte o tempero.

Sirva o prato com as cenouras à parte.

Frango ao estragão com funghi

Preparo: 20 minutos
Cozimento: 25 minutos
Rendimento: 4 a 6 porções

INGREDIENTES:

• 4 coxas de frango • 1 cubo de caldo de galinha sem gordura • 1 haste de estragão • 1kg de funghi • 1 dente de alho • 1 maço de salsa • 250g de requeijão cremoso com 0% de gordura • Sal, pimenta-do-reino

Doure as coxas de frango já temperadas com sal e pimenta-do-reino em uma panela levemente untada de óleo. Adicione 100ml de caldo de galinha e a haste de estragão bem lavada. Deixe ferver, tampe e em seguida, abaixe o fogo, deixando cozinhar por 25 minutos.

Em uma frigideira, refogue os funghis lavados, o alho picado e a salsa. Tempere.

No momento de servir, retire o estragão da panela e misture o molho com o requeijão, em fogo brando. Aceite o tempero.

Sirva o frango quente com os funghis refogados.

Frango com ervas aromáticas

Preparo: 20 minutos
Cozimento: 30 minutos
Rendimento: 4 porções

INGREDIENTES:

• 800g de peito de frango • 2 tomates • 1 cebola • 2 dentes de alho • 600g de cogumelos Paris • 1 limão • 250ml de caldo de galinha sem gordura • Sal, pimenta-do-reino

Corte o frango em cubos e triture os tomates. Descasque e pique a cebola e os dentes de alho. Depois de lavar e tirar toda a terra, corte os cogumelos em fatias. Pingue algumas gotas de limão sobre os cogumelos, para que não escureçam. Coloque-os em uma panela antiaderente.

Tempere com sal e pimenta-do-reino. Tampe e deixe cozinhando em fogo brando, até que a água evapore. Escorra e reserve.

Em uma panela, refogue a cebola em um pouco de água. Adicione o frango, os tomates, os cogumelos, o alho, o caldo de galinha, o sal e a pimenta-do-reino. Cozinhe em fogo brando durante 20 minutos.

Frango com pimentões

Preparo: 40 minutos
Cozimento: 10 minutos
Rendimento: 4 porções

INGREDIENTES:

• 1 cebola • 1 dente de alho • 2 hastes de menta • 2 hastes de coentro • 4 peitos de frango • 2 colheres de sopa de molho shoyu • 2 colheres de café de gengibre fresco ou raspado • 1 pimentão verde • 1 pimentão vermelho • 140g de broto de bambu • Sal, pimenta-do-reino

Descasque e pique as cebolas e o alho. Lave, retire as folhas da menta e de coentro e pique-as. Corte os peitos de frango em fatias.

Em um prato fundo, coloque o peito de frango e adicione molho shoyu, o gengibre, o alho e a menta. Cubra com um papel-filme e deixe marinando por 2 horas na geladeira.

Peneire a marinada, apertando os ingredientes para não desperdiçar o caldo, e reserve. Lave e descasque os pimentões, tire as sementes e corte em fatias. Lave os brotos de bambu e corte em pequenos bastões.

Em uma frigideira levemente untada de óleo, doure o frango durante 5 minutos. Em seguida, acrescente a cebola picada, que também deve dourar. Adicione os pimentões e cozinhe por mais 4 minutos. Em seguida, adicione a marinada e deixe engrossar durante 3 minutos. Adicione os brotos de bambu e cozinhe por mais 1 minuto.

Frango à basquaise

Preparo: 15 minutos
Cozimento: 1 hora
Rendimento: 4 porções

INGRFDIENTES:

• 1 frango • 1kg de tomate • 1 cenoura • 2 pimentões • 2 dentes de alho • 1 bouquet garni • Sal, pimenta-do-reino

Corte o frango em pedaços. Em uma panela antiaderente levemente untada de óleo, doure os pedaços de frango já temperados, a fogo médio. Adicione os tomates sem sementes e descascados, a cenoura descascada e cortada em pequenas fatias, os pimentões cortados em cubos, o alho picado e o bouquet garni.

Tempere com sal e pimenta-do-reino. Cubra e deixe cozinhando durante 1 hora em fogo baixo.

Frango Marengo

Preparo: 30 minutos
Cozimento: 45 minutos
Rendimento: 4 porções

INGREDIENTES:

• 1 frango cortado em pedaços • 2 cebolas • 2 chalotas • 1 dente de alho • 200ml de água • 2 colheres de sopa de vinagre de vinho branco • 1 colher de sopa de extrato de tomate • 4 tomates • Algumas hastes de tomilho • 1 pequena haste de louro • 3 caules de salsa • Sal, pimenta-do-reino

Doure os pedaços de frango temperados com sal e pimenta-do-reino em uma panela levemente untada de óleo em fogo alto. Em seguida, retire do fogo.

No lugar do frango, adicione as cebolas cortadas em rodelas, as chalotas e o alho, e cozinhe em fogo médio. Refogue durante 2 minutos. Acrescente a água, o vinagre e o extrato de tomate.

Adicione os tomates cortados em cubos. Retorne o frango. Adicione o tomilho, o louro e a salsa.

Cubra e deixe cozinhar durante 45 minutos.

Frango escaldado com molho leve de ervas frescas

Preparo: 30 minutos
Cozimento: 45 minutos
Rendimento: 4 porções

INGREDIENTES:

• 1 frango • ½ limão • 1 cebola cortada em dois e picada com um cravo • 1 cenoura cortada em quatro • 2 alhos-porós atados com uma haste de aipo • 1 bouquet garni • 1 dente de alho cortado em dois • Sal grosso

PARA O MOLHO:

• 2 gemas • 20g de requeijão com 0% de gordura • 1 colher de café de ervas finas frescas picadas (cebolinha, estragão, salsa, cerefólio)

Esfregue a superfície do frango com a metade do limão e colocar em uma panela. Acrescente os legumes, o bouquet garni e o alho. Adicione água fria até cerca de 2cm acima do frango. Salgue com sal grosso. Deixe ferver, retire a espuma com uma escumadeira e cozinhe em fogo brando por 40 a 45 minutos. Ao final do cozimento, reserve 150ml de caldo sem gordura e mantenha quente.

Em um recipiente, adicione as gemas de ovos com uma colher de sopa de água fria. Prepare um banho-maria para o recipiente com as gemas e a água. Bata as gemas, até obter a consistência de um creme. Cuidado para não esquentar demais. Adicione o requeijão. Misture com um batedor de claras e acrescente o caldo morno ao molho, mexendo bem. Adicione as ervas finas e acerte o tempero.

Sirva bem quente.

Frango à moda provençal

Preparo: 15 minutos
Cozimento: 50 minutos
Rendimento: 4 porções

INGREDIENTES:

• 1 frango • 1 lata de tomates inteiros • 4 dentes de alho • 1 pequeno maço de salsa • Sal e pimenta-do-reino

Corte o frango em pedaços e em uma frigideira antiaderente, refogue-os, até que fiquem dourados. Reserve.

Leve à frigideira os tomates triturados, o alho, a salsa bem picada, o sal e a pimenta-do-reino. Cozinhe em fogo médio por 30 minutos.

Adicione os pedaços de frango e, se for necessário, um pouco de água. Tampe e cozinhe por mais 20 minutos.

Sopa de frango com cogumelos

Preparo: 20 minutos
Cozimento: 15 minutos
Rendimento: 4 porções

INGREDIENTES:

• 100g de cogumelos Paris • 1 dente de alho • 1 colher de sopa de coentro • 1 colher de café de pimenta-do-reino • 1l de caldo de galinha sem gordura • 2 colheres de sopa de molho nuoc-mâm • 250g de peito de frango cozido • 2 chalotas

Corte os cogumelos em fatias. Processe o alho, o coentro e a pimenta-do-reino até obter um purê. Coloque os cogumelos e os condimentos em uma frigideira levemente untada de óleo e refogue a mistura por um minuto em fogo médio. Retire do fogo e reserve.

Em uma panela, ferva o caldo de galinha e adicione os cogumelos, o nuoc-mâm e a mistura de alho. Cozinhe por 5 minutos, com a panela tampada.

Corte o frango em pedaços e adicione à mistura. Deixe cozinhando alguns minutos. Sirva acompanhado de chalotas picadas.

Frango com maxixe

Cozimento: 30 minutos
Preparo: 20 minutos
Rendimento: 4 porções

INGREDIENTES:

• 2 peitos de frango grandes cortados em cubos • 500 gramas de maxixe cortado grosso • 1 cubo de caldo de frango com 0% de gordura • 1 pimentão verde cortado em cubos • 1 pimentão vermelho cortado em cubos • 1 cebola cortada em cubos • 1 dente de alho • 1 maço de coentro • 1 colher de chá de urucum

Raspe o maxixe para remover os espinhos e corte em 4 fatias. Numa panela, frite o frango na cebola, no alho e nos pimentões verde e vermelho por 5 minutos e adicione o caldo de galinha diluído em 500ml de água, o maxixe, o urucum e o coentro picado e cozinhe por 25 minutos em fogo baixo.

Peito de frango e jiló

Cozimento: 20 minutos
Preparo: 15 minutos
Rendimento: 2 porções

INGREDIENTES:

• 2 peitos de frango • 1 cebola • 1 dente de alho • 4 jilós • Coentro picado • 1 sachê de caldo de frango com 0% de gordura • 300ml de água

Corte o frango em cubos e os jilós em 4 partes, pique a cebola e o alho e cozinhe tudo com o caldo de galinha. Despeje os 300ml de água e deixe ferver por 20 minutos.

Strogonoff de frango

Cozimento: 30 minutos
Preparo: 20 minutos
Rendimento: 4 porções

INGREDIENTES:

• 3 peitos de frango sem gordura • 2 cebolas • 1 dente de alho • 1 caixa de cogumelos Paris (média) • 1 lata pequena de milho • 1 sachê de caldo de frango com 0% de gordura (diluído em 100ml de água) • 1 caixa de creme de leite light • 2 colheres de sopa de ketchup • ½ maço de coentro • 1 pitada de noz-moscada e sal

Corte o frango em cubos pequenos, pique a cebola e o alho. Refogue o frango por 10 minutos em uma panela com cebola e alho picados, em seguida, adicione os cogumelos e deixe cozinhar por mais 10 minutos, despeje o caldo de galinha diluído, o creme de leite, o ketchup e a noz-moscada e deixe cozinhar por 5-10 minutos. Adicione o coentro no final.

Fígado de galinha com ervas

Cozimento: 30 minutos
Preparo: 20 minutos
Rendimento: 4 porções

INGREDIENTES:

• 600g de fígado de galinha • 1 cebola picada • 1 dente de alho picado • ½ maço de salsa • ½ maço de coentro • Pimenta • Sal • Bouquet garni (tomilho e louro) • 1 colher de sopa de óleo de girassol • 1 cubo de caldo de galinha com 0% de gordura

Misture e deixe o fígado de frango marinar com a cebola e o alho picados, uma pitada de pimenta, o sal e o bouquet garni por 10 minutos. Dilua o cubo de caldo de galinha em 500ml de água quente. Refogue a mistura com uma colher de sopa de óleo de girassol e adicione o caldo de galinha diluído. Cozinhe em fogo baixo por 30 minutos. Adicione o coentro e a salsa ao final.

Espetos de coração de galinha com ervas

Cozimento: 15 minutos
Preparo: 20 minutos
Rendimento: 4 porções

INGREDIENTES:

• 500 gramas de coração de frango • 1 cebola picada • 1 dente de alho picado • Sal • Pimenta • Ervas (erva-doce, alecrim, manjericão, tomilho e lavanda) • 1 pimentão verde • 1 pimentão vermelho • 16 espetos de madeira

Deixe o coração de galinha marinar no alho, nas ervas, no sal e na pimenta por 10 minutos. Corte a cebola e o pimentão em quadrados grandes. Faça espetos de corações de frango com pimentões e cebolas (1 coração de frango, 1 cebola, 1 pimentão vermelho, 1 pimentão verde. Repita 3 vezes). Em uma grade de grelhar espetos (churrasqueira ou grelha) asse por 10 minutos.

Terrina de frango ao estragão

Preparo: 40 minutos
Cozimento: 1 hora e 30 minutos
Rendimento: 6 porções

INGREDIENTES:

• 2 alhos-poró • 2 cenouras • 2 dentes de alho • 1 frango atado com um barbante • 2 folhas de gelatina • 500ml de caldo sem gordura • 1 cebola • 1 maço de estragão • 200g de fígado de galinha • Sal e pimenta-do-reino

Essa receita deve ser preparada na véspera.

Lave os alhos-porós e descasque as cenouras e o alho.

Coloque o frango em uma panela, adicione o caldo e cubra com água fria. Adicione os legumes preparados, a cebola, algumas hastes de estragão, sal e pimenta-do-reino. Deixe ferver, tampe e cozinhe por 1 hora e 30 minutos em fogo brando, mexendo regularmente.

Na metade do cozimento, adicione o fígado de galinha sem os nervos. Quando o cozimento chegar ao fim, corte o frango e o fígado em cubos grandes.

Reduza o caldo à metade e filtre. Adicione as folhas de gelatina anteriormente embebidas de água fria e escorridas.

Coloque as folhas de estragão no fundo de um pote e regue com um pouco do caldo. Faça camadas sucessivas com a metade dos cubos de frango e de fígado, as cenouras e o restante do frango. Regue com o caldo de galinha.

Leve à geladeira por 24 horas.

As carnes

Carne atada

Preparo: 20 minutos
Cozimento: 30 minutos
Rendimento: 1 porção

INGREDIENTES:

• 70g de cenoura • 1 alho-poró • 70g de aipo em ramos • 250g de filé bovino • 1 bouquet garni • ½ cebola • 1 cravo • Sal, pimenta-do-reino

Descasque e lave as cenouras, o alho-poró e o aipo. Corte os legumes grosseiramente.

Despeje um litro de água em uma panela. Acrescente o bouquet garni, meia cebola picada com o cravo e os legumes. Tempere, e quando começar a ferver, adicione a carne. Deixe cozinhar sem tampa a fogo médio durante cerca de 30 minutos.

Retire a carne e corte-a em pedaços. Transfira para um prato, para a apresentação, e sirva os legumes como acompanhamento.

Carne com berinjelas

Preparo: 15 minutos
Cozimento: 15 minutos
Rendimento: 4 porções

INGREDIENTES:

• 300g de berinjela • 400g de tomates médios • 1 dente de alho picado • 1 colher de sopa de salsa picada • 500g de carne bovina magra cortada em tiras finas • Sal e pimenta-do-reino

Descasque as berinjelas e corte em rodelas finas. Transfira-as para um recipiente e coloque um pouco de sal, para liberarem água. Deixe por 15 minutos.

Coloque os tomates em uma panela e leve para ferver. Depois, cozinhe em fogo médio por 30 minutos.

No fundo de um prato que pode ser levado ao forno, coloque a metade dos legumes. Tempere e coloque a carne por cima. Cubra com o resto das berinjelas e dos tomates. Leve ao forno a 210 graus durante 15 minutos.

Verifique o tempero e leve para gratinar.

Carne com pimentões

Preparo: 20 minutos
Cozimento: 1 hora
Rendimento: 4 porções

INGREDIENTES:

• 320g de contrafilé • 4 pimentões vermelhos • 3 cebolas pequenas • 2 colheres de sopa de molho shoyu

PARA A MARINADA:

• 1 colher de amido de milho • 4 colheres de sopa de molho shoyu

Corte o contrafilé em tiras bem finas. Prepare a marinada. Esfregue a carne na marinada e leve à geladeira por 2 horas.

Corte os pimentões e as cebolas em fatias finas. Leve a uma frigideira levemente untada de óleo. Refogue e adicione um copo de água. Cozinhe em fogo bem brando por 30 minutos. Quando os legumes estiverem cozidos, adicione a carne marinada, duas colheres de sopa de molho shoyu e um pouco de água, se necessário. Tempere a gosto.

Bife bourguignon

Preparo: 10 minutos
Cozimento: 2 horas
Rendimento: 6 porções

INGREDIENTES:

• 1 cubo de caldo de carne sem gordura • 250ml de água fervente • 500g de carne de boi magra cortada em cubos • 1 colher de café de amido de milho • 1 colher de café de salsa picada • 1 dente de alho picado • 1 folha de louro • 3 cebolas médias picadas • 150g de cogumelos Paris cortados em fatias • Sal, pimenta-do-reino

Dissolva o cubo de caldo de carne em água fervente. Em uma panela grande levemente untada de óleo, sele a carne. Em seguida, transfira a carne para uma forma, que será levada ao forno. Coloque o amido de milho, o caldo de carne dissolvido, a salsa e os temperos na panela. Deixe ferver, até que o molho engrosse um pouco.

Adicione a carne (adicionar água, caso o molho não cubra toda a carne). Tampe e leve ao forno a 200 graus por 2 horas.

Refogue a cebola e os cogumelos em uma frigideira antiaderente levemente untada de óleo, a fogo médio. Junte tudo à carne durante a última meia hora de cozimento.

Enroladinhos de carne moída com legumes

Preparo: 15 minutos
Cozimento: 40 minutos
Rendimento: 4 porções

INGREDIENTES:

• 500g de carne moída sem gordura • 2 colheres de sopa de farelo de trigo • 2 a 3 colheres de sopa de pasta de ricota light • 2 abobrinhas • 2 cenouras raladas • 4 fatias de queijo branco com 0% de gordura sem soro • Pimenta rosa, lemon pepper e limão a gosto • Temperos e sal a gosto

Deixe o farelo de trigo de molho em água por alguns minutos. Tempere a carne moída e acrescente o sal. Coloque o farelo em um pano e retire toda a água, espremendo bem. Adicione a pasta de ricota ao farelo de trigo e misture com a carne temperada. Se necessário, coloque um pouco mais de pasta de ricota para dar liga. Corte a abobrinha e a cenoura (ou outros legumes de sua preferência) ainda cruas em palitos finos, tempere com grãos de pimenta rosa moída na hora, lemon pepper e limão (o limão irá cozinhar os legumes). Abra a massa de carne e recheie com as abobrinhas, as cenouras e o queijo branco. Enrole e leve ao forno coberto com papel alumínio por aproximadamente 30 minutos, retire o papel para dourar.

Receita criada por Luiza Nadal

Espetinho de carne Turgloff

Preparo: 20 minutos
Cozimento: 10 minutos
Rendimento: 2 porções

INGREDIENTES:

• 500g de tomate • 1 dente de alho ralado • 600g de carne de boi magra • 200g de pimentão • 200g de cebola • Suco de um limão • Ervas • Sal, pimenta-do-reino

Descasque os tomates, retire as sementes e triture-os. Em uma frigideira, refogue os tomates com o alho em fogo brando. Tempere.

Corte a carne, os pimentões e as cebolas em pedaços. Coloque-os em espetinhos e grelhe por cerca de 10 minutos no forno ou em uma churrasqueira.

Na hora de servir, retire os ingredientes dos espetinhos, regue-os com limão e tempere com as ervas. Coloque um pouco de molho de tomate em cada prato. Acerte o tempero e salpique a salsa.

Carne louca

Preparo: 10 minutos
Cozimento: 30 minutos
Rendimento: 4 porções

INGREDIENTES:

• 1 peça de lagarto de tamanho médio • 2 cebolas • 1 dente de alho • 1 pimentão vermelho • 2 tomates • Salsinha e cebolinha • Pimenta moída • Sal

Coloque a carne para cozinhar na panela de pressão com água até ficar macia e começar a desmanchar. Reserve a água e desfie a carne. Corte as cebolas e o alho e coloque em uma panela antiaderente com um pouco do caldo reservado e espere as cebolas ficarem douradas e transparentes. Acrescente os tomates, o pimentão e todos os temperos a seu gosto. Adicione a carne desfiada ao refogado, tampe a panela e deixe cozinhar para que os temperos do refogado se incorporem à carne. Adicione salsinha e cebolinha no final do cozimento.

Receita criada por Luiza Nadal

Abobrinha recheada

Preparo: 10 minutos
Cozimento: 30 minutos
Rendimento: 4 porções

INGREDIENTES:

• 4 abobrinhas • 500g de carne moída magra • Um pote de salsa verde (produto mexicano, molho de tomate verde com pimenta) • 200g de queijo cottage com 0% de gordura • Sal, pimenta-do-reino

Corte as abobrinhas em duas, verticalmente. Retire as sementes. Tempere com sal e pimenta-do-reino.

Misture a carne, a salsa verde e o queijo cottage. Preencha as abobrinhas com a mistura. Leve ao forno por 30 minutos a 240 graus.

Carne-seca com jiló

Preparo: 20 minutos
Cozimento: 40 minutos
Rendimento: 2 porções

INGREDIENTES:

• 300g de carne-seca magra • 6 jilós cortados ao meio • 2 cebolas roxas pequenas • 1 cubo de caldo de legumes • 1 dente de alho • 1 maço de coentro • 2 tomates • Sal e pimenta verde a gosto

Corte a carne em pedaços e ferva em água até que não haja mais sal na carne (aproximadamente 20 minutos). Em outra panela, refogue os jilós cortados em dois com os outros ingredientes, adicione a carne-seca dessalgada aos jilós e deixe cozinhar por 20 minutos.

Strogonoff de carne

Preparo: 20 minutos
Cozimento: 35 minutos
Rendimento: 4 porções

INGREDIENTES:

• 800g de filé (cortado em pequenos cubos) • 150g de cogumelos • 3 cebolas • 2 dentes de alho • 1 pitada de noz-moscada • 500ml de creme de leite light • 1 colher de sopa de ketchup light • ½ ramo de coentro • 1 cubo de caldo de carne com 0% de gordura

Em uma panela, frite a carne em cubos com a cebola picada, o alho, os cogumelos e o caldo de carne. Deixe cozinhar por 25 minutos. Adicione o ketchup, o creme de leite e uma pitada de noz-moscada, deixe por 10 minutos e adicione o coentro no final.

Bife a rolê com legumes

Preparo: 30 minutos
Cozimento: 40 minutos
Rendimento: 4 porções

INGREDIENTES:

• 800g de bife (cortado em bifes finos para enrolar) • 3 cenouras • 1 pimentão vermelho • 1 pimentão verde • 1 cebola grande • 2 dentes de alho • 1 bouquet garni • 2 tomates • 1 sachê de caldo de carne com 0% de gordura • 1 colher de chá de óleo de girassol • 1 maço de coentro • 1 colher de chá de urucum • 1 pitada de cominho, sal e pimenta a gosto

Corte o filé em 12 fatias finas, pique a cenoura e o pimentão em tiras não muito grossas, recheie os bifes com as tiras de legumes e feche-os com a ajuda de um palito de dente. Em uma panela, frite os bifes enrolados com o óleo, a cebola, o alho, o tomate picado, o caldo de carne, o cominho e o bouquet garni. Adicione 500ml de água fervente e deixe cozinhar por 10 minutos. Em seguida, coloque os bifes recheados no molho para cozinhar por 35 minutos sobre a pimenta e o sal a gosto. Adicione o coentro picado no final.

Folhado de berinjela à moda de Creta

Preparo: 20 minutos
Cozimento: 30 minutos
Rendimento: 2 porções

INGREDIENTES:

• 600g de carne moída • 2 dentes de alho • 15 folhas de menta • 400g de polpa de tomate (em lata) • 2 berinjelas • 200g de iogurte com 0% de gordura • Sal, pimenta-do-reino

Refogue a carne moída. Adicione o alho, as folhas de menta picadas e a polpa de tomate.

Tampe e deixe cozinhar por 20 minutos, mexendo de vez em quando. Lave e corte as berinjelas verticalmente em diversas fatias de 1cm de espessura. Refogue em uma frigideira em fogo médio, com um pouco de óleo, por 3 minutos para cada lado. Em seguida, transfira-as para um papel-toalha absorvente.

Adicione o iogurte à carne, misture e tempere. Coloque as fatias de berinjela uma do lado da outra no fundo de um prato para gratinados. Cubra com a carne e o molho, e alterne as camadas, terminando com uma camada de berinjela. Leve ao forno a 200 graus por 5 minutos e sirva.

Carne-seca com chuchu

Preparo: 20 minutos
Cozimento: 30 minutos
Rendimento: 4 porções

INGREDIENTES

• 600g de carne-seca • 4 chuchus • 1 cebola • ½ molho de salsa • 1 cubo de caldo de legumes sem gordura • 2 folhas de louro • 1 pitada de urucum • Sal

Corte a carne em fatias finas, coloque-a em uma panela com água e deixe ferver para remover todo o sal da carne (cerca de 20 minutos). Adicione a cebola, o louro, o caldo de legumes, o urucum e o chuchu em corte à julienne (tiras finas). Sirva quente.

Abóbora com carne-seca

Preparo: 20 minutos
Cozimento: 35 minutos
Rendimento: 4 porções

INGREDIENTES:

• ½ abóbora (bem laranja) • 600g de carne-seca magra • 1 maço de coentro • 2 cebolas • 1 dente de alho • 1 pitada de noz-moscada • 1 sachê de caldo de legumes

Corte a carne em pedaços pequenos e deixe ferver em uma panela com água por 15 minutos para remover o sal da carne. Depois que a carne estiver dessalgada, acrescente a cebola, o alho, o caldo de legumes e a noz-moscada e cozinhe por 10 minutos. Em seguida, adicione a abóbora cortada em quadrados pequenos e o coentro picado e cozinhe por mais 10 minutos.

Frichti de carne e abobrinha

Preparo: 20 minutos
Cozimento: 35 minutos
Rendimento: 4 porções

INGREDIENTES:

• 1kg de abobrinha • 500g de carne bovina magra moída • 400g de molho de tomate • 1 dente de alho • 3 ramos de salsa • Sal, pimenta-do-reino

Corte as abobrinhas lavadas em rodelas e cozinhe no vapor durante 20 minutos.

Enquanto isso, refogue a carne por 10 minutos em uma frigideira antiaderente levemente untada de óleo. Adicione o molho de tomate, o alho, a salsa, o sal e a pimenta-do-reino. Cozinhe por mais 5 minutos.

Misture todos os ingredientes.

Picadinho de carne com couve-flor

Preparo: 20 minutos
Cozimento: 45 minutos
Rendimento: 6 porções

INGREDIENTES:

• 1,2kg de couve-flor • 600g de carne moída • 1 cebola picada • 2 dentes de alho • 1 molho pequeno de salsa • Sal, pimenta-do-reino

Cozinhe a couve-flor durante 15 minutos no vapor. Bata no liquidificador para transformar em purê. Reserve. Em seguida, passe a carne, a cebola, o alho, a salsa, o sal e a pimenta-do-reino no liquidificador.

Transfira a carne moída para uma forma e, em seguida, coloque o purê de couve-flor. Leve ao forno a 180 graus por 45 minutos.

Cozido de carne com dois pimentões

Preparo: 20 minutos
Cozimento: 30 minutos
Rendimento: 4 porções

INGREDIENTES:

• 450g de carne de boi cortada em cubos • ½ cebola picada • 1 dente de alho picado • 1 colher de sopa de extrato de tomate • 500ml de caldo de carne sem gordura • 1 pimentão verde • 1 pimentão vermelho • 1 cenoura • 1 nabo • 1 colher de sopa de amido de milho • 2 colheres de sopa de água • Sal, pimenta-do-reino

Cozinhe a carne em uma panela em fogo alto. Adicione a cebola e o alho. Cozinhe por mais um minuto, mexendo constantemente.

Adicione o extrato de tomate e o caldo de carne. Tempere com sal e pimenta-do-reino. Deixe ferver, baixe o fogo e cozinhe por 20 minutos sem tampa.

Enquanto isso, retire as sementes dos pimentões e corte em fatias. Junte os legumes em pedaços à carne e cozinhe por mais 5 minutos. Adicione o amido dissolvido na água. Continue o cozimento por mais 3 minutos, mexendo de vez em quando.

Enroladinhos de presunto

Preparo: 10 minutos
Sem cozimento
Rendimento: 4 porções

INGREDIENTES:

• 1 dente de alho • ½ molho de cebolinha • 200g de queijo cottage com 0% de gordura • 8 fatias de presunto sem gordura • 8 folhas de alface • 8 ramos de salsa

Descasque e pique o alho. Lave e pique a cebolinha. Misture o alho e a cebolinha picados ao queijo cottage, fazendo uma pasta. Passe a pasta em cada fatia de presunto e enrole.

Leve ao refrigerador por 30 minutos para a pasta ficar mais firme. Decore os pratos com duas folhas de alface, dois enrolados de presunto sobre as folhas de alfaces e um ramo de salsa sobre os enrolados.

Enroladinhos de presunto com ervas finas

Preparo: 15 minutos
Sem cozimento
Rendimento: 2 porções

INGREDIENTES:

• 50g de nabo rosa • 50g de pepino • ½ tomate • 2 chalotas • 4 picles • 3 ou 4 caules de cebolinha • 3 ramos de salsa • 1 pitada de estragão • 250g de queijo cottage com 0% de gordura • 4 fatias de presunto de peru • 1 tomate • 1 ovo cozido • 4 picles • Sal, pimenta-do-reino

Depois de lavar os nabos, pique-os, assim como as chalotas, o pepino e as ervas finas.

Junte o queijo cottage. Tempere com sal e pimenta-do-reino. Espalhe a mistura sobre o presunto e enrole cada fatia. Sirva com meio tomate, um ovo cozido, picles e um nabo.

Salada de iogurte com ervas

Preparo: 15 minutos
Sem cozimento
Rendimento: 2 porções

INGREDIENTES:

• 300g de cogumelos Paris • 1 maço de rabanetes • 4 fatias de presunto de peru com ervas • 4 picles grandes • 1 iogurte com 0% de gordura • 1 dente de alho picado • 1 colher de café de mostarda • Algumas hastes de salsa • Algumas hastes de cebolinha • Sal, pimenta-do-reino

Lave os cogumelos e os rabanetes. Corte-os em pequenos cubos. Corte o presunto em cubos. Adicione os picles cortados em rodelas grossas.

Prepare o molho misturando o iogurte, o alho, a mostarda, as folhas de salsa picadas, assim como a cebolinha, o sal e a pimenta-do-reino. Transfira para um prato, misture e leve à geladeira até o momento de servir.

Hambúrguer à moda mexicana

Preparo: 20 minutos
Cozimento: 8 minutos
Rendimento: 1 porção

INGREDIENTES:

• 250g de carne moída • 4 pitadas de mistura de temperos mexicanos • 2 tomates médios

Faça os hambúrgueres misturando a carne moída com os temperos. Frite em uma frigideira levemente untada de óleo em fogo alto, para grelhar sem que fique muito passado.

Em outra frigideira, em fogo brando, cozinhe os tomates descascados e cortados em pequenos cubos com a mistura de temperos, até obter um molho cremoso. Cubra os hambúrgueres com o molho e sirva imediatamente.

Hambúrguer à moda húngara

Preparo: 15 minutos
Cozimento: 9 minutos
Rendimento: 4 porções

Ingredientes:

• 6 cebolas pequenas • 1 pimentão vermelho • 500g de carne moída com 5% de gordura • 2 colheres de sopa de páprica • 100ml de molho de tomate • 1 pitada de pimenta-caiena • ½ limão • 80g de requeijão com 0% de gordura • Sal, pimenta-do-reino

Descasque e corte as cebolas, lave o pimentão, tire as sementes e corte em cubos. Unte ligeiramente uma frigideira e refogue a cebola e o pimentão durante 5 minutos em fogo brando.

Retire os legumes da frigideira e frite a carne por 2 minutos em fogo alto, amassando com um garfo. Adicione a páprica, o molho de tomate, a cebola e o pimentão. Cozinhe por mais 2 minutos, misturando e temperando com sal, pimenta-do-reino e pimenta-caiena.

Esprema o suco do limão, junte ao requeijão e bata. Fora do fogo, adicione o molho à mistura e esquente sem ferver. Sirva imediatamente.

Os ovos

Croquetes de abobrinha

Preparo: 15 minutos
Cozimento: 4 minutos por fornada
Rendimento: 1 porção

Ingredientes:

• 2 abobrinhas • 1 ovo • 4 colheres de sopa de amido de milho • Sal, pimenta-do-reino

Raspe as abobrinhas lavadas e com casca. Retire a água das abobrinhas, colocando-as num recipiente com um pouco de sal, por 1 hora.

Escorra-as e adicione o ovo. Tempere com sal e pimenta-do-reino.

Acrescente o amido de milho e mexa para formar uma massa compacta. Esquente uma gota de óleo em uma frigideira e adicione os bolinhos de abobrinha. Doure todos os lados em fogo médio.

Pudim de legumes

Preparo: 10 minutos
Cozimento: 15 minutos
Rendimento: 2 porções

INGREDIENTES:

• 4 ovos • 1 pitada de noz-moscada • 500ml de leite desnatado • 1 colher de sopa de ervas finas picadas • 200g de legumes picados (tomate, abobrinha, brócolis, berinjela, cenoura) • Sal, pimenta-do-reino

Bata os ovos com os temperos e adicione o leite amornado. Adicione os legumes e asse no forno em banho-maria a 180 graus por 15 minutos.

Pudim de legumes à moda provençal

Preparo: 35 minutos
Cozimento: 30 minutos
Rendimento: 4 porções

INGREDIENTES:

• 500g de abobrinha • 2 pimentões vermelhos • 4 tomates • 1 cebola • 4 ovos • 4 colheres de sopa de leite desnatado • 1 colher de sopa de requeijão com 0% de gordura • Sal, pimenta-do-reino

Lave e corte as abobrinhas em pedaços, sem descascar. Lave, remova as sementes e corte os pimentões em quadrados. Escalde os tomates em água fervente por alguns segundos e, em seguida, descasque, retire as sementes e corte-os em cubos.

Descasque e pique a cebola. Preaqueça o forno a 200 graus. Refogue todos os legumes em uma frigideira em fogo alto, com uma gota de óleo, durante 20 minutos. Tempere com sal e pimenta-do-reino.

Faça uma omelete e com os ovos adicione o leite e o requeijão zero. Tempere com sal e pimenta-do-reino.

Adicione todos os legumes, misture bem e transfira a mistura para uma forma para bolo antiaderente. Cozinhe em banho-maria no forno durante 30 minutos.

Fritada de atum com abobrinha

Preparo: 20 minutos
Cozimento: 10 minutos
Rendimento: 4 porções

INGREDIENTES:

• 3 abobrinhas finas • 1 cebola branca • 6 ovos • 1 lata de atum ao natural • 2 colheres de sopa de vinagre balsâmico • Sal, pimenta-do-reino

Lave e corte as abobrinhas em cubos. Descasque e pique a cebola. Cozinhe as abobrinhas e a cebola no vapor ou no caldo em fogo médio. Tempere com sal e pimenta-do-reino, mexendo de vez em quando.

Enquanto isso, faça uma omelete com o atum desfiado, sal e pimenta-do-reino. Adicione as abobrinhas e a cebola. Leve a mistura a uma frigideira, misture e tampe.

Cozinhe por 10 minutos em fogo brando, até que o ovo fique cozido. Deixe esfriar durante 1 hora, corte em cubinhos e tempere com vinagre.

Queijo branco com pepino

Preparo: 10 minutos
Sem cozimento
Rendimento: 2 porções

INGREDIENTES:

• ½ dente de alho • ½ pepino • ¼ de pimentão amarelo (ou verde) • 1 pimentão vermelho • 250g de queijo cottage com 0% de gordura • ½ limão • Sal, pimenta-do-reino

Descasque e pique o alho. Lave e descasque o pepino e, em seguida, corte em cubos de 1cm. Lave, retire as sementes e corte os pimentões em tiras bem finas.

Em um recipiente grande, misture o queijo cottage, o pepino, o alho picado e o suco de limão. Tempere com sal e pimenta-do-reino. Antes de servir, decore com tirinhas de pimentão.

Ovos lorrains

Preparo: 10 minutos
Cozimento: 40 minutos
Rendimento: 2 porções

INGREDIENTES:

• 4 ovos • 500ml de leite desnatado • 1 pitada de noz-moscada • 6 tomates • Algumas folhas de manjericão • Sal, pimenta-do-reino

Preaqueça o forno a 180 graus. Bata os ovos com o leite, tempere com sal, pimenta-do-reino e noz-moscada. Distribua a mistura em pequenas forminhas individuais, e cozinhe em banho-maria durante 40 minutos.

Enquanto isso, prepare o molho de tomate temperado com manjericão. Desenforme e sirva quente, acompanhado do molho.

Pudim de berinjela

Preparo: 20 minutos
Cozimento: 30 minutos
Rendimento: 2 porções

INGREDIENTES:

• 400g de berinjela • 3 ovos • 200ml de leite desnatado • noz-moscada • algumas hastes de tomilho • algumas hastes de alecrim • sal, pimenta-do-reino

Lave e descasque as berinjelas, corte-as em fatias e reserve em um escorredor. Deixe que solte água durante 30 minutos, adicionando um pouco de sal. Seque as fatias antes de cozinhar em água fervente por 5 minutos e, em seguida, escorra novamente.

Preaqueça o forno a 150 graus. Faça uma omelete e tempere. Misture ao leite, e raspe um pouco da noz-moscada. Salpique tomilho e alecrim.

Em uma forma que pode ir ao forno, arrume as fatias de berinjela e despeje a mistura dos ovos com o leite por cima. Asse durante 30 minutos.

Suflê de cogumelos

Preparo: 15 minutos
Cozimento: 10 minutos
Rendimento: 1 porção

INGREDIENTES:

• 150g de cogumelos Paris • 1 ovo inteiro + 1 clara • 3 colheres de sopa de requeijão com 0% de gordura • Sal, pimenta-do-reino

Preaqueça o forno a 180 graus. Mergulhe os cogumelos durante 2 minutos em uma panela cheia de água fervente. Em seguida, triture-os no liquidificador. Misture os cogumelos triturados à gema do ovo, ao requeijão e às duas claras batidas em neve. Tempere com sal, pimenta-do-reino e transfira para um pequeno pote.

Leve ao forno durante cerca de 10 minutos.

Suflê de pepino com manjericão

Preparo: 20 minutos
Cozimento: 15 minutos
Rendimento: 1 porção

INGREDIENTES:

• ½ pepino • 4 colheres de sopa de queijo cottage com 0% de gordura • ½ maço de manjericão fresco • 6 claras de ovo • 4 tomates • 2 cebolas • Sal, pimenta-do-reino

Triture o pepino no liquidificador e misture-o ao queijo cottage. Tempere com sal e pimenta-do-reino.

Pique oito folhas de manjericão e adicione ao preparo. Bata as claras em neve e incorpore-as à mistura do pepino com o queijo cottage.

Descasque e remova as sementes dos tomates. Corte a polpa em cubos. Pique as cebolas e refogue por alguns minutos em uma frigideira antiaderente, em fogo médio, a seco. Adicione os tomates, tempere e deixe cozinhando em fogo brando durante 15 minutos.

Unte ligeiramente alguns potinhos individuais. Coloque uma colher de molho de tomate e cebola no fundo de cada potinho e, em seguida, encha dois terços do pote com a mistura do suflê.

Leve ao forno durante 15 minutos, a 200 graus. Quando os suflês estiverem cozidos, coloque uma folha de manjericão em cada potinho, para decorar.

Sopa verde de azedinhas

Preparo: 35 minutos
Cozimento: 20 minutos
Rendimento: 4 porções

INGREDIENTES:

• 2 ovos • 1 cebola • 2 alhos-porós • 5 ou 6 folhas de alface • 1 maço de azedinhas • 250g de espinafre • 2 cubos de caldo de galinha sem gordura • 3 hastes de cebolinha • 1 pitada de cerefólio • Sal, pimenta-do-reino

Cozinhe dois ovos. Descasque e pique a cebola. Lave e pique os alhos-porós, a alface, as azedinhas e o espinafre.

Refogue a cebola e o alho-poró em fogo médio em uma frigideira levemente untada de óleo. Adicione os outros legumes e cozinhe em fogo brando durante 5 minutos, mexendo sempre.

Acrescente um litro de água quente, tempere com sal e pimenta-do-reino e adicione os cubos de caldo de galinha.

Cozinhe durante 10 minutos em fogo médio. Retire as cascas dos ovos cozidos e triture em um liquidificador.

Misture os ovos, a sopa e corte as ervas finas. Salpique a sopa com os ovos triturados e as ervas finas.

Torta de legumes

Preparo: 15 minutos
Cozimento: 40 minutos
Rendimento: 2 porções

INGREDIENTES:

• 1 pimentão pequeno • 1 abobrinha • 4 cogumelos Paris grandes • 1 cebola pequena • 3 ovos • 700ml de leite desnatado • 1 sachê de fermento • Sal, pimenta-do-reino

Preaqueça o forno a 230 graus. Lave e corte o pimentão, a abobrinha, os cogumelos e a cebola em pedaços bem pequenos.

Em um recipiente, misture os ovos, o leite e o fermento. Tempere com sal e pimenta-do-reino. Adicione todos os legumes à mistura.

Transfira para uma forma antiaderente e leve ao forno por cerca de 40 minutos.

Torta flambada alsaciana

Preparo: 15 minutos
Cozimento: 30 minutos
Rendimento: 4 porções

INGREDIENTES:

• 35g de amido de milho • 2 ovos • 200g de queijo cottage com 0% de gordura • 250g de cebola • 200g de presunto sem gordura moído • 2 tomates • 90g de requeijão com 0% de gordura

Misture o amido de milho, as gemas e o queijo cottage. Adicione as claras de ovo batidas em neve bem firmes. Transfira para uma forma de torta antiaderente. Cubra com as cebolas cortadas em pedaços bem pequenos, tempere com sal e pimenta-do-reino e, em seguida, adicione o presunto moído, os tomates cortados em fatias finas e o requeijão com 0% de gordura.

Leve ao forno a 210 graus durante 25 a 30 minutos.

Sirva quente ou frio.

Ninho de tomates

Preparo: 15 minutos
Cozimento: 30 minutos
Rendimento: 4 porções

INGREDIENTES:

• 8 tomates • 4 ovos • 200g de presunto sem gordura • Manjericão fresco • Sal, pimenta-do-reino

Preaqueça o forno durante 20 minutos a 220 graus.

Lave os tomates. Corte a parte de cima e esvazie-os. Tempere a parte de dentro dos tomates com sal e vire-os de cabeça para baixo, para que percam água.

Bata os ovos, tempere com sal e pimenta-do-reino e adicione o presunto sem gordura cortado em tirinhas com um pouco de manjericão picado.

Distribua a mistura nos tomates e leve-os ao forno durante 25 a 30 minutos.

Os peixes e frutos do mar

Bacalhau espiritual

Preparo: 30 minutos
Cozimento: 10 minutos
Rendimento: 8 porções

INGREDIENTES:

• 2kg de lombo de bacalhau dessalgado • 6 claras • 5 cebolas cortadas em quadradinhos pequenos • 2 pimentões amarelos grandes cortados em cubos pequenos • 2 pimentões vermelhos grandes cortados em cubos pequenos • 2 dentes de alho espremidos • Caldo do bacalhau • 1 xícara de chá de cebolete ou cebolinha verde cortada finamente

Cozinhe os lombos de bacalhau em água por aproximadamente 30 minutos. Reserve, espere esfriar e deixe em lascas. Em uma panela grande, coloque as cebolas, os pimentões, o alho e vá pingando pouco a pouco o caldo do bacalhau. Quando o refogado tiver diminuído de volume, deixe a água secar totalmente e acrescente as lascas de bacalhau. Com uma concha, acrescente o molho bechamel delicadamente e aos poucos até que todas as lascas e temperos estejam cobertos com o molho. Ajuste o sal, desligue o fogo e coloque as ceboletes. Bata as claras em neve em ponto firme. Monte o refratário com as seguintes camadas: lascas de bacalhau e claras em neve.

Receita criada por Luiza Nadal

Bobó de camarão

Preparo: 30 minutos
Cozimento: 20 minutos
Rendimento: 2 porções

INGREDIENTES:

• 150g de abóbora (quantidade suficiente para dar consistência) • 2 colheres de sopa de creme de leite light • 250g de camarões médios limpos • 2 colheres de sopa rasas de polpa de tomate • 1 dente de alho amassado • 1 cebola grande • ⅓ de folha de louro fresca • 1 colher de chá de coentro picado • ½ colher de chá de salsinha • Suco de ½ limão • Salsinha picada a gosto • Sal a gosto

Em uma panela, coloque a abóbora e o creme de leite light, cubra com água e cozinhe até amaciar. Depois de cozida, faça um purê utilizando o líquido do cozimento e reserve. Tempere os camarões com o suco de limão e o sal, deixe marinar por 1 hora na geladeira. Em uma panela, de preferência de barro, doure o alho e as cebolas. Junte o açafrão, o louro e refogue por 3 minutos. Acrescente os camarões e a polpa de tomate e cozinhe por mais 5 minutos. Adicione o coentro e a salsinha, e, se necessário, adicione mais sal. Baixe o fogo, acrescente o purê de abóbora, mexa delicadamente e cozinhe por cerca de 10 minutos.

Receita criada por Luiza Nadal

Aperitivo diet

Preparo: 30 minutos
Sem cozimento
Rendimento: 6 porções

INGREDIENTES:

• 1 pepino • 3 cenouras • 1 rabanete • 1 caule de erva-doce • 200g de camarão • 200g de kani

PARA O CREME DE ERVAS:

250g de requeijão com 0% de gordura • Algumas folhas de manjericão • Alguns caules de estragão • Alguns caules de salsa • Sal, pimenta-do-reino

Descasque os legumes e corte-os em bastõezinhos. Descasque os camarões. Coloque todos os ingredientes à mesa, acompanhados do creme de ervas.

Tartár de salmão

Preparo: 10 minutos
Sem cozimento
Rendimento: 2 porções

INGREDIENTES:

• 300g de salmão defumado cortado em pedaços pequenos • 1 cebola • 8 unidades de alcaparras • Cebolinha, dill, salsa e sal a gosto • Raspas de gengibre fresco ralado na hora • Limão siciliano

Pique e misture o salmão, a cebola, as alcaparras, o gengibre e os temperos, deixe o limão por último. Sirva com um molho e salada de rúcula.

Receita criada por Luiza Nadal

Casquinha de siri

Preparo: 15 minutos
Cozimento: 20 minutos
Rendimento: 4 porções

INGREDIENTES:

• 500g de carne de siri desfiada • 2 tomates sem semente • 1 cebola grande • 1 colher de sopa de pasta de ricota light • 1 colher de requeijão cremoso com 0% de gordura • Cubinhos de queijo branco com 0% de gordura sem soro • Salsinha, pimenta caiena ou tabasco e sal a gosto

Coloque a cebola e os tomates para refogar, acrescente a carne de siri e os temperos e deixe cozinhar. Se a carne soltar muita água, espere secar. Quando já estiver cozido, colocar a pasta de ricota e o requeijão para dar liga. Coloque nas casquinhas e salpique queijo branco em cubinhos por cima. Leve ao forno para gratinar.

Receita criada por Luiza Nadal

Caldo de siri com vegetais

Cozimento: 35 minutos
Preparo: 20 minutos
Rendimento: 4 porções

INGREDIENTES:

• 12 siris ou caranguejos • 2 pimentões (vermelho e verde) • 1 cebola grande • 1 dente de alho • 1 limão • 1/2 maço de coentro • 1/2 maço de salsa • 1 pitada de urucum • 2 sachês de caldo de frango com 0% de gordura • 2 folhas de louro • Sal e pimenta

Limpe o caranguejo, corte os pimentões e o limão em pequenos pedaços, pique a cebola, o alho, o coentro e a salsa. Despeje todos os ingredientes em uma panela com o caldo de frango diluído (em 1l de água) e deixe cozinhar por 35 minutos.

Bacalhau fresco com ervas

Preparo: 20 minutos
Cozimento: 15 minutos
Rendimento: 4 porções

INGREDIENTES:

• 1 chalota • 1 cebola • 1 bouquet de ervas finas • 4 pimentas pequenas • 1 pimentão vermelho • 600g de filé de bacalhau fresco • 1 limão • Sal, pimenta-do-reino

Preaqueça o forno a 210 graus.

Pique a chalota e a cebola em pedaços bem pequenos, depois misture com as ervas também picadas.

Retire o suco do limão. Corte as pimentas em duas. Corte o pimentão em quatro e tire as sementes.

Coloque os filés de peixe em quatro retângulos do papel-alumínio. Tempere com sal e pimenta-do-reino. Em seguida, coloque o pimentão, uma camada fina de ervas e uma pimenta. Adicione o suco de limão. Dobre as bordas do papelote. Leve ao forno e asse durante 15 minutos.

Bacalhau fresco com açafrão

Preparo: 15 minutos
Cozimento: 40 minutos
Rendimento: 4 porções

INGREDIENTES

• 500g de tomate • 2 dentes de alho picados • 100g de alho-poró • 100g de cebolas picadas • 1 ramo de erva-doce • 3 hastes de salsa • 1 pitada de açafrão • 4 filés de bacalhau fresco • 100ml de água • Sal, pimenta-do-reino

Corte os tomates em pedaços. Em uma panela, adicione o alho, os alhos-porós picados, as cebolas, a erva-doce picada, a salsa e o açafrão. Tempere com sal e pimenta-do-reino.

Cozinhe por 30 minutos. Acrescente o peixe e cubra com água. Quando ferver, baixe o fogo e cozinhe por 10 minutos.

Bacalhau fresco na caçarola

Preparo: 10 minutos
Cozimento: 20 minutos
Rendimento: 2 porções

INGREDIENTES.

• 300g de abobrinha • 300g de filé de bacalhau frescos • 1 dente de alho • Tomilho • Sal, pimenta-do-reino

Descasque e corte as abobrinhas em rodelas. Em uma caçarola antiaderente, faça uma camada de abobrinhas e uma camada de peixe. Tempere com sal e pimenta-do-reino. Termine com uma segunda camada de abobrinhas. Tempere com mais sal e pimenta-do-reino.

Adicione o alho picado e o tomilho.

Tampe e cozinhe durante 20 minutos em fogo bem baixo.

Cozido de bacalhau fresco à moda provençal

Preparo: 25 minutos
Cozimento: 15 minutos
Rendimento: 2 porções

INGREDIENTES:

• 8 fatias de presunto sem gordura • 8 tomates • 2 cebolas • 2 dentes de alho • 4 filés de bacalhau frescos • Algumas folhas de manjericão • Sal, pimenta-do-reino

Preaqueça o forno a 240 graus. Coloque quatro fatias de presunto em quatro formas para gratinar.

Descasque e retire as sementes dos tomates. Corte em fatias e distribua-os nas formas. Tempere com sal. Pique as cebolas e o alho, e espalhe-os entre os tomates.

Enrole as quatro fatias de presunto restantes nos filés de bacalhau fresco. Coloque um enroladinho por prato. Tempere.

Leve ao forno durante 10 a 15 minutos e, depois, tempere com pimenta-do-reino e salpique manjericão.

Pescada recheada

Preparo: 15 minutos
Cozimento: 30 minutos
Rendimento: 4 porções

INGREDIENTES:

• 50g de orégano • 25g de aipo branco picado • 1 colher de sopa de salsa picada • 250ml de suco de tomate • 100g de carne de caranguejo • 1 ovo • 800g de pescada cortados em oito filés • Sal, pimenta-do-reino

Preaqueça o forno a 210 graus. Com uma espátula, misture a cebola, o aipo, a salsa, o suco de tomate, a carne de caranguejo e o ovo para fazer o recheio. Tempere.

Espalhe o recheio sobre quatro filés de peixe. Cubra com os quatro filés restantes. Pegue o peixe com o restante do suco de tomate.

Leve ao forno durante 30 minutos. Sirva bem quente.

Pepino recheado com atum

Preparo: 15 minutos
Sem cozimento
Rendimento: 1 porção

INGREDIENTES:

• 1 pepino • 1 lata de 120g de atum natural • 4 colheres de café de maionese Dukan • Sal, pimenta-do-reino

Lave e descasque o pepino. Corte-o em dois e, em seguida, corte-o em mais duas partes, verticalmente.

Retire as sementes com uma colher, deixando uma borda de pelo menos 1cm.

Em um recipiente, misture o atum e a maionese. Tempere. Recheie cada parte do pepino com a mistura.

Camarões com tomate

Preparo: 15 minutos
Sem cozimento
Rendimento: 2 porções

INGREDIENTES:

• 500g de tomate • 600g de camarão cozido sem casca • 2 ovos cozidos

PARA O MOLHO:

• 2 gemas de ovo cozidas • 1 colher de café de mostarda • 1 colher de sopa de suco de limão • 1 iogurte com 0% de gordura • Sal, pimenta-do-reino

Lave e esvazie os tomates delicadamente. Dentro dos tomates, coloque um pouco de sal e vire-os de cabeça para baixo.

Misture os camarões sem casca com os dois ovos cozidos. Recheie os tomates com a mistura.

Para fazer o molho, esmague as duas gemas cozidas e misture-as com a mostarda. Acrescente o suco de limão. Tempere com sal, pimenta-do-reino e incorpore o iogurte aos poucos, mexendo sempre.

Regue os tomates recheados com o molho.

Fatias de salmão com alho-poró

Preparo: 15 minutos
Cozimento: 30 minutos
Rendimento: 2 ou 3 porções

INGREDIENTES:

• 500g de alho-poró • 4 colheres de sopa de chalota picada • 4 filés de salmão • 1 colher de sopa de aneto • Sal, pimenta-do-reino

Lave e corte os alhos-porós em rodelas. Em uma frigideira, refogue a chalota e o alho-poró em fogo brando durante 20 minutos. Adicione um pouco de água, se necessário.

Tempere com sal, pimenta-do-reino e mantenha em local quente.

Tempere o salmão com sal e pimenta-do-reino no lado da escama e leve a uma frigideira antiaderente. Cozinhe durante 10 minutos em fogo médio. Coloque o salmão sobre uma camada de alho-poró, salpicado de aneto.

Filé de bacalhau fresco na caçarola

Preparo: 20 minutos
Cozimento: 20 minutos
Rendimento: 2 porções

INGREDIENTES:

• 4 abobrinhas • 4 filés de bacalhau fresco • 3 limões • 4 dentes de alho • Alguns caules de tomilho • Sal, pimenta-do-reino

Lave as abobrinhas e corte-as em rodelas, sem tirar a casca. Em uma caçarola antiaderente, faça uma camada de abobrinhas e, sobre ela, adicione os filés de peixe. Tempere com sal e pimenta-do-reino e termine com uma segunda camada de abobrinhas. Regue com o suco de limão, adicione o alho picado e o tomilho. Tampe e cozinhe durante 20 minutos em fogo bem brando.

Fondue chinês

Preparo: 25 minutos
Cozimento: 10 minutos
Rendimento: 4 porções

INGREDIENTES:

• 600g de legumes à sua escolha (couve, cenoura, champignons, aipo, tomate) • 300ml de caldo de peixe sem gordura • 400g de peixe (bacalhau fresco ou dourado) • 100g de lulas cortadas em fatias finas • 12 camarões • 12 mexilhões • 1 limão • 1l de caldo • 1 pouco de cerefólio

Depois de lavar os legumes, cozinhe-os separadamente no vapor ou em água fervente até ficarem al dente. Deixe-os esfriar e distribua-os nos pratos.

Corte o peixe em pedaços do tamanho de uma mordida e coloque-os em um prato, ou em quatro pratos individuais, assim como as lulas, os camarões e os mexilhões lavados. Acompanhe de uma fatia de limão.

Tempere o caldo para que fique bem encorpado e adicione o cerefólio. Leve à mesa em um rechaud ligado.

Mergulhe os legumes e o peixe durante alguns instantes no caldo e acompanhe o molho para fazer um fondue chinês.

Camarão com chuchu e ervas

Cozimento: 15 minutos
Preparo: 15 minutos
Rendimento: 2 porções

INGREDIENTES:

• 500g de camarão descascados • 2 chuchus • 1 cebola • 1 dente de alho • ½ maço de coentro • ½ maço de cebolinha • 1 pitada de urucum • Sal • 2 xícaras de café de água

Corte os chuchus em cubos, pique a cebola, o alho e as ervas. Refogue em uma panela com o camarão, acrescente duas xícaras de água e deixe cozinhar por 15 minutos.

Fondue de abobrinha com lagostas

Cozimento: 45 minutos
Preparo: 30 minutos
Rendimento: 4 porções

INGREDIENTES:

• 1 kg de lagosta cozida • 800g de abobrinha • 2 cebolas grandes • 6 raminhos de hortelã • 1 colher de azeite • Suco de ½ limão • Sal • Pimenta • Sal marinho grosso cinza (ou sal grosso comum)

Lave a abobrinha, seque, descasque e corte em tiras de 5mm. Descasque e pique as cebolas. Aqueça o azeite em uma panela e refogue a cebola. Adicione a abobrinha, o sal e a pimenta, misture e deixe cozinhar por 40 minutos, mexa a preparação ocasionalmente para não grudar no fundo, e, quando a mistura ficar macia, adicione o suco de limão e a hortelã picada. Disponha o fondue de abobrinha e a carne da lagosta em uma travessa para servir.

Masala de robalo

Preparo: 15 minutos
Cozimento: 20 minutos
Rendimento: 4 porções

INGREDIENTES:

• 1 colher de sopa de garam masala em pó • 1 iogurte com 0% de gordura • 400g de robalo sem espinhas • 200g de camarão • 2 chalotas • 400g de cenoura • 200g de cerefólio • 2 colheres de sopa de caldo de legumes • 8 colheres de sopa de iogurte com 0% de gordura • 1 colher de café de amido de milho • 75g de agrião • 1 filete de limão • Sal, pimenta-do-reino

Misture o garam masala com o iogurte. Tempere os cubos de peixe e os camarões com sal e adicione à mistura.

Deixe marinando por pelo menos 1 hora em local fresco.

Seque o peixe e os camarões com papel-toalha. Refogue em fogo alto por alguns instantes, depois reserve em um prato tampado.

Refogue as chalotas picadas em uma frigideira antiaderente, ligeiramente untada de óleo, mexendo constantemente. Adicione as cenouras e o cerefólio em fatias bem finas e refogue por alguns minutos. Em seguida, adicione o caldo de legumes e cozinhe sem tampa até que os legumes fiquem macios.

Dilua o iogurte com o amido de milho e uma colher de café de água fria. Batendo sempre, despeje a mistura sobre os legumes e deixe ferver. Adicione os cubos de peixe e os camarões já cozidos e mantidos em local quente, o agrião, o limão, o sal e a pimenta-do-reino.

Mousse de brócolis com kani

Preparo: 15 minutos
Cozimento: 10 minutos
Rendimento: 6 porções

INGREDIENTES:

• 6 folhas de gelatina • 1 kg de purê de brócolis congelado • 12 colheres de café de queijo branco com 0% de gordura • 280g de kani • 1 pote de polpa de tomate • 1 colher de café de manjericão congelado • ½ colher de café de alho congelado • Sal, pimenta-do-reino

Mergulhe as folhas de gelatina em um recipiente com água fria para amolecê-las. Mexa bem, para que derretam.

Cozinhe o purê de brócolis no micro-ondas durante 10 minutos. Em seguida, incorpore o queijo cottage, adicionando um pouco de água para dar a liga ao kani ralado. Tempere com sal e pimenta-do-reino. Distribua a mousse em potinhos individuais cobertos com papel-filme, para facilitar na hora de tirar da forma. Leve à geladeira por pelo menos quatro horas.

Prepare o molho de tomate, misturando com o manjericão, o alho, o sal e a pimenta-do-reino. Leve à geladeira.

Desenforme nos pratos em que for servir e coloque o molho de tomate sobre cada mousse.

Sirva imediatamente.

Mousse de salmão defumado

Preparo: 15 minutos
Sem cozimento
Rendimento: 2 porções

INGREDIENTES:

• 120g de salmão defumado • 260g de queijo cottage com 0% de gordura • 1 folha de gelatina • 1 colher de café de extrato de tomate • 1 limão • 1 pitada de páprica • 2 claras batidas em neve • 4 hastes de aipo

Triture bem o salmão, o queijo cottage e a gelatina derretida com uma colher de água quente.

Misture o extrato de tomate, o suco de limão e a páprica. Adicione à mistura de salmão. Bata tudo com um batedor de ovos e adicione as claras em neve.

Distribua a mistura final em potinhos e leve à geladeira por duas a três horas.

Sirva com a haste de aipo ou endívias, se desejar.

Papelotes de salmão com legumes

Preparo: 20 minutos
Cozimento: 20 minutos
Rendimento: 4 porções

INGREDIENTES:

• 1 abobrinha pequena • 2 tomates • 100g de cogumelos Paris • 4 postas de salmão • 1 limão • 2 colheres de sopa de café de pimenta rosa • Sal, pimenta-do-reino

Preaqueça o forno a 210 graus. Lave e corte a abobrinha em rodelas finas, sem descascar. Descasque e corte os tomates em quatro. Retire as sementes dos tomates.

Lave e corte os cogumelos em fatias finas. Coloque as postas de salmão em folhas de papel-manteiga. Coloque os legumes em volta do salmão, assim como o limão cortado em quatro.

Tempere com sal, pimenta-do-reino e adicione algumas pimentas rosas.

Feche bem os papelotes e leve ao forno em uma forma. Cozinhe durante 20 minutos e sirva.

Postas de salmão com menta

Preparo: 20 minutos
Cozimento: 30 minutos
Rendimento: 2 porções

INGREDIENTES:

• 500g de filé de salmão fresco • 2 a 3 colheres de sopa de menta fresca • 1 abobrinha grande • 1 fatia de salmão defumado • 2 folhas de gelatina • 1 colher de sopa de queijo cottage com 0% de gordura • Sal, pimenta-do-reino

Cozinhe o filé de salmão fresco no papelote, no forno, por 30 minutos, ou no vapor, enrolado no papel-alumínio.

Deixer esfriar. Lave e pique a menta fresca. Lave a abobrinha e corte em fatias finas, no sentido do comprimento, conservando a casca.

Doure rapidamente as fatias de abobrinha em uma frigideira antiaderente em fogo bem alto, com um pouco de óleo. Deixe esfriar.

Desfie grosseiramente o salmão cozido e pique o salmão defumado.

Em uma panela, adicione as folhas de gelatinas amolecidas anteriormente na água fria e já escorridas. Incorpore a gelatina o queijo cottage e a menta ao salmão. Misture tudo e tempere com sal e pimenta-do-reino.

Preencha quatro potinhos com as fatias de abobrinha e coloque a mistura de salmão.

Deixe 12 horas na geladeira e retire 30 minutos antes de servir.

Fritada de kani e camarão com champignon

Preparo: 25 minutos
Cozimento: 7 a 8 minutos
Rendimento: 4 porções

INGREDIENTES:

• 2 dentes de alho • 1 maço de salsa • 500g de cogumelos Paris • 500g de kani • 500g de camarões grandes

Pique o alho e a salsa ao mesmo tempo e reserve. Lave os cogumelos, escorra e pique-os. Reserve.

Corte os bastões de kani em cubinhos. Descasque os camarões e corte em cubinhos. Em uma frigideira antiaderente, refogue os camarões em fogo médio, depois os cogumelos. Deixe a água evaporar durante um minuto. Em seguida, adicione os kanis. Tempere e adicione a mistura de alho e salsa e sirva imediatamente.

Peixe gratinado

Preparo: 15 minutos
Cozimento: 30 minutos
Rendimento: 2 porções

INGREDIENTES:

• 500g de filé de peixe branco (bacalhau fresco ou dourado) • 4 claras de ovo • 4 colheres de sopa de queijo cottage com 0% de gordura • 1 lata de aspargos • 125g de camarão • Algumas hastes de salsa • Sal, pimenta-do-reino

Misture os filés de peixe, o queijo cottage e as claras. Coloque a mistura em um prato com os camarões, os aspargos e a salsa.

Leve ao forno por 30 minutos a 180 graus.

Peixe no papelote

Preparo: 20 minutos
Cozimento: 10 minutos
Rendimento: 4 porções

INGREDIENTES:

• 2 cebolas • 2 tomates • 2 cenouras • 1 pimentão verde • 2 ramos de aipo • 2 ramos de salsa • 4 fatias de peixe magro • Sal, pimenta-do-reino

Preaqueça o forno a 250 graus. Pique as cebolas, os tomates, as cenouras, o pimentão, o aipo e a salsa. Tempere com sal e pimenta-do-reino.

Lave e seque o peixe. Em uma folha de papel-manteiga, coloque o peixe e os legumes picados.

Feche bem os papelotes e leve ao forno a 180 graus.

Quiche sem massa de atum e tomate

Preparo: 15 minutos
Cozimento: 25 minutos
Rendimento: 3 porções

INGREDIENTES.

• 2 ovos • 4 claras • 2 tomates pequenos • 1 lata de atum natural • 2 colheres de sopa de queijo cottage com 0% de gordura • 2 pitadas de ervas finas • Sal, pimenta-do-reino

Faça uma omelete em uma frigideira ligeiramente untada de óleo. Corte os tomates em fatias bem finas, desfie o atum e adicione o queijo cottage e as ervas.

Misture todos os ingredientes e coloque em um prato que possa ir ao forno.

Asse por 20 a 25 minutos a 180 graus.

Ragu de mexilhão com alho-poró

Preparo: 30 minutos
Cozimento: 30 minutos
Rendimento: 4 porções

Ingredientes:

• 21 mexilhões • 1 kg de alho-poró • 1 pitada de noz-moscada ralada • 150ml de molho bechamel Dukan • 1 maço de salsa • 1 maço de cerefólio • 1 haste de estragão • Sal, pimenta-do-reino

Lave os mexilhões e retire-os das conchas. Coloque-os em uma panela em fogo alto, mexendo constantemente. Reserve o caldo do cozimento, passe por uma peneira e transfira para uma frigideira.

Tire as folhas do alho-poró e retire uma porção da parte verde. Lave e corte em rodelas. Tampe e cozinhe durante 5 minutos na água dos mexilhões. Retire a tampa durante 20 minutos e adicione sal, pimenta-do-reino e noz-moscada. Prepare o molho bechamel Dukan. Pique a salsa, o cerefólio e o estragão. Incorpore as ervas ao molho bechamel. Acrescente os mexilhões sem as conchas e o suco de meio limão. Quando o alho-poró estiver cozido, adicione o molho bechamel, misturando delicadamente.

Sirva bem quente.

Potinhos de peixe com molho de tomate

Preparo: 25 minutos
Cozimento: 25 minutos
Rendimento: 2 porções

Ingredientes:

• 400g de filé de linguado • 1 maço de cerefólio • 1 ovo • 2 colheres de sopa cheias de requeijão com 0% de gordura • 800g de tomate • 1 pitada de tomilho • 1 ramo de folhas de louro • 1 dente de alho • 1 chalota • Sal, pimenta-do-reino

Desfie dois filés de linguado, tempere com sal e pimenta-do-reino, adicione o cerefólio, um ovo batido em omelete e duas colheres de sopa de requeijão.

Distribua em dois potinhos ligeiramente untados de óleo e leve ao forno por 20 a 25 minutos em temperatura média (180 graus). Espere alguns minutos antes de desenformar.

Enquanto isso, prepare o molho com 800g de tomate descascados, cozidos por cerca de 15 minutos e passados no liquidificador com o tomilho, o louro, o dente de alho e a chalota picada. Cubra o peixe com o molho no momento de servir.

Assado de bacalhau fresco com abobrinhas e tomates

Preparo: 20 minutos
Cozimento: 30 minutos
Rendimento: 4 porções

INGREDIENTES:

• 400g de abobrinha • 300g de tomate • 1 colher de sopa de água • 2 hastes de tomilho • 4 dentes de alho • 1 posta de bacalhau fresco de 700g • Sal, pimenta-do-reino

Preaqueça o forno a 210 graus. Corte as duas extremidades da abobrinha, lave e corte em rodelas de 3mm. Descasque e retire as sementes dos tomates e pique a polpa em pedaços pequenos.

Em uma forma retangular, coloque a água e os legumes. Salpique o tomilho picado, tempere com sal e pimenta-do-reino e misture.

Descasque e divida os dentes de alho cortados em três fatias. Lave rapidamente e retire o excesso de água do peixe. Faça seis cortes de cada lado para colocar as fatias de alho. Tempere com sal e pimenta-do-reino.

Coloque o peixe no meio do prato, entre os legumes, e leve ao forno por 30 minutos. Misture os legumes diversas vezes durante o cozimento.

Quando o peixe estiver cozido, retire a pele, lave os filés e distribua nos pratos em que for servir, junto com os legumes. Cubra o peixe com o molho do cozimento. Sirva imediatamente.

Enroladinhos de pepino com camarão

Preparo: 20 minutos
Sem cozimento
Rendimento: 2 porções

INGREDIENTES:

• 2 ovos cozidos • 100g de camarão cozido e sem casca • 100g de requeijão com 0% de gordura • Algumas gotas de tabasco • ½ pepino • 4 colheres de sopa de cebolinha picada • Sal, pimenta-do-reino

Com um garfo, misture os ovos cozidos amassados aos camarões, ao requeijão e ao tabasco. Tempere com sal e pimenta-do-reino e reserve.

Descasque o pepino, retire as sementes e corte-o em fatias no sentido do comprimento. Derrame o molho de camarão sobre o pepino e salpique a cebolinha.

Enrole as fatias, coloque em pratos para servir. Deguste bem frio.

Enroladinhos de salmão

Preparo: 20 minutos
Cozimento: 20 minutos
Rendimento: 8 porções

INGREDIENTES:

• 2 vidros de palmito • 8 fatias de salmão defumado • 2 quadradinhos de queijo fresco com 0% de gordura • 125g de requeijão cremoso com 0% de gordura • 2 pitadas de ervas finas • 1 gota de vinagre de framboesa • Sal, pimenta-do-reino

Enrole os palmitos nas fatias de salmão defumado. Misture o queijo fresco com o requeijão, as ervas, o vinagre e tempere com sal e pimenta-do-reino.

Coloque a metade da mistura de queijos em um prato e, sobre o molho, adicione os enroladinhos de salmão. Acrescente o resto do molho sobre os enroladinhos.

Leve ao forno por 20 minutos a 150 graus.

Salada de camarão

Preparo: 15 minutos
Cozimento: 5 minutos
Rendimento: 2 porções

INGREDIENTES:

• 600g de alface • 4 colheres de café de vinagre • Algumas hastes de estragão • 200g de camarão rosa • 4 ovos • Sal, pimenta-do-reino

Destaque as folhas de alface, lave-as e escorra-as bem. Prepare o molho vinagrete em um recipiente.

Misture as folhas de alface com o estragão desfolhado e os camarões sem casca em um recipiente.

Cozinhe os ovos por 5 a 6 minutos na água fervente. Descasque os ovos quando a gema ainda estiver líquida.

Adicione os ovos bem quentes sobre a salada

Salada de espinafre com peixe defumado

Preparo: 5 minutos
Cozimento: 2 minutos
Rendimento: 4 porções

INGREDIENTES:

• 700g de espinafre • 300g de peixe defumado (salmão, truta ou enguia) • Mostarda • Vinagre • Sal, pimenta-do-reino

Coloque as folhas de espinafre lavadas e enxutas em pratos individuais.

Refogue o peixe defumado cortado em fatias por 2 minutos em uma frigideira e coloque sobre o espinafre. Regue a salada com o vinagrete composto por mostarda e vinagre. Tempere com sal e pimenta-do-reino

Salmão com erva-doce e alho-poró

Preparo: 15 minutos
Cozimento: 15 minutos
Rendimento: 4 porções

INGREDIENTES:

• 4 alhos-porós • 4 caules de erva-doce • 4 cebolas • 4 cravos • 1 bouquet garni (salsa, tomilho, louro) • 4 postas de salmão • 1 ovo • Sal fino

Descasque os alhos-porós e a erva-doce. Corte o alho-poró parcialmente, no sentido do comprimento, e os caules de erva-doce em quatro.

Espete cada cebola com um cravo. Leve uma grande quantidade de água com sal para ferver e adicione o alho-poró, a erva-doce, as cebolas e o bouquet garni. Cozinhe por 10 minutos em fogo brando.

Acrescente o salmão e cozinhe por mais 5 minutos. Enquanto isso, prepare um ovo cozido e esmague bem com um garfo.

Ao final do cozimento, escorra o peixe e os legumes. Transfira para um prato e salpique com o ovo triturado. Sirva imediatamente.

Salmão gourmand

Preparo: 20 minutos
Sem cozimento
Rendimento: 2 porções

INGREDIENTES:

• 1 maço pequeno de aneto • ½ caule de erva-doce • ½ limão • 2 iogurtes com 0% de gordura • 4 fatias de salmão defumado • 4 folhas de alface • Sal, pimenta-do-reino

Lave o aneto e pique-o. Lave a erva-doce e corte-a em pedacinhos.

Em um recipiente, prepare o molho, misturando o suco do limão, o sal, a pimenta-do-reino e os iogurtes. Adicione os pedaços de erva-doce e o aneto picado.

Antes de servir, corte as fatias de salmão em fatias mais finas e distribua entre os pratos. Adicione o molho no meio de cada folha de alface.

Salmão com salsa verde e tomates-cereja

Preparo: 15 minutos
Cozimento: 45 minutos
Rendimento: 2 porções

Ingredientes:

• 2 filés de salmão • 300g de tomates-cereja • 2 pitadas de ervas para peixe • 1 pote de molho salsa verde (molho mexicano)

Em um papelote de papel-manteiga, coloque o salmão e os tomates-cereja cortados em dois.

Salpique as ervas e adicione a salsa verde. Leve ao forno por 45 minutos a 200 graus.

Como a salsa verde é bastante salgada, não é necessário adicionar sal.

Camarões à moda mexicana

Preparo: 10 minutos
Cozimento: 3 minutos
Rendimento: 3 a 4 porções

Ingredientes:

• 4 tomates • 1 pimenta verde • 2 colheres de sopa de coentro picado • 1 limão • 1 dente de alho • 32 camarões grandes • Sal

Misture os tomates descascados, sem sementes e cortados em cubos com a pimenta descascada. Pique o coentro e retire o suco do limão. Adicione o alho e o sal.

Cozinhe os camarões no vapor por 2 a 3 minutos. Misture ao molho.

Linguado cru com molho de tomate

Preparo: 10 minutos
Sem cozimento
Rendimento: 2 porções

INGREDIENTES:

• 4 tomates bem maduros • 1 limão • Algumas folhas de menta • 1 pitada de cerefólio • 1 caule de salsa • 4 filés de linguado • Sal, pimenta-do-reino

Triture bem os tomates já descascados e sem as sementes. Tempere com limão, sal e pimenta-do-reino.

Distribua-os em pratos. Pique as ervas bem finas e unte os filés de linguado bem finos. Coloque sobre o molho de tomate.

Levar à geladeira por 1 hora.

Sopa gelada de pepino com camarões-rosa

Preparo: 30 minutos
Sem cozimento
Rendimento: 4 porções

INGREDIENTES:

• 2 pepinos pequenos • 1 cebola branca • 1 dente de alho • Suco de dois limões • 2 colheres de sopa de anisete • 4 caules de coentro • 8 camarões-rosa grandes, cozidos e sem casca • Algumas gotas de tabasco • ¼ de pimentão vermelho • ½ cebola roxa • Sal, pimenta-do-reino

Descasque os pepinos, seque-os e retire as sementes. Em seguida, triture bem, junto com a cebola, o dente de alho, o suco de um limão, a anisete, o sal e a pimenta-do-reino.

Adicione de 400 a 500ml de água mineral ao purê de pepino. Adicione a metade do coentro picado. Leve a geladeira por 45 minutos.

Trinta minutos antes de servir, corte os camarões no sentido do comprimento e coloque os pedaços em um prato, regando com o suco do outro limão e algumas gotas de tabasco.Tampe e leve à geladeira por 30 minutos.

Pique, retire as sementes e corte o pimentão e a cebola roxa em fatias finas. Acerte o tempero da sopa e distribua em copos grandes. Coloque fatias de pimentão e cebola, camarões e coentro sobre cada copo. Sirva imediatamente.

Sopa de camarão e pepino com coentro

Preparo: 15 minutos
Cozimento: 12 minutos
Rendimento: 4 porções

INGREDIENTES:

• 12 camarões grandes • 1 pepino • 2 cebolas • 3 caules de salsa • 2 caules de coentro • 2 cubos de caldo de galinha sem gordura • 1 pimenta pequena

Descasque os camarões, conservando a última articulação e a cauda. Descasque e pique o pepino e as cebolas. Pique as folhas de salsa e coentro.

Em uma panela, leve para ferver um litro e meio de água e dissolva os cubos de caldo de galinha. Adicione o pepino, as cebolas e os camarões.

Quando começar a ferver, cozinhe por mais 2 minutos. Salpique as ervas picadas e pequenos pedaços de pimenta. Sirva quente.

Terrina de pepino e salmão defumado

Preparo: 1h15
Sem cozimento
Rendimento: 2 porções

INGREDIENTES:

• 1 pepino • 200g de salmão defumado • ½ maço de cebolinha • 200g de queijo branco no soro com 0% de gordura • Sal, pimenta-do-reino

Descasque o pepino e corte-o em dois, no sentido do comprimento. Retire as sementes. Corte-o em pequenos cubos e salpique com sal fino. Cubra com papel-filme e leve à geladeira por 30 minutos.

Corte o salmão em pedaços bem pequenos. Pique a cebolinha, misture ao salmão e tempere com pimenta-do-reino (o sal não é necessário, pois o salmão defumado já é bastante salgado).

Escorra o soro do queijo branco e os cubos de pepino, e lave-os diversas vezes. Seque em um pano de prato e adicione à mistura do salmão com a cebolinha. Esmigalhe o queijo branco e incorpore-o ao preparo. Acerte o tempero e leve à geladeira por pelo menos 30 minutos antes de servir.

Lulas à moda provençal

Preparo: 20 minutos
Cozimento: 55 minutos
Rendimento: 4 porções

INGREDIENTES:

• 1 ou 2 cebolas picadas • 2 latas de tomates inteiros • 1 pimentão • 2 ou 3 dentes de alho descascados e amassados • 1 bouquet garni • 1 pimenta forte • 500g de anéis de lula • Sal, pimenta-do-reino

Em uma frigideira ligeiramente untada de óleo (retirar o excesso com papel-toalha), refogue as cebolas picadas em fogo médio.

Enquanto isso, escalde e descasque os tomates.

Quando a cebola estiver bem dourada, adicione os tomates triturados, o pimentão cortado em pedaços, o alho descascado e amassado, o bouquet garni, a pimenta amassada, o sal e a pimenta-do-reino.

Cozinhe durante 10 minutos em fogo brando, sem tampa.

Escorra a água e lave as lulas. Adicione-as ao molho e cozinhe em fogo brando por 45 minutos.

Terrina de peixe com cebolinha

Preparo: 40 minutos
Cozimento: 45 minutos
Rendimento: 3 porções

INGREDIENTES:

• 200g de cenoura • 400g de dourado (ou pescada) • 4 claras de ovo • 2 colheres de sopa de queijo cottage com 0% de gordura • 300g de salmão fresco • 300g de espinafre (cozidos e bem escorridos)

PARA O MOLHO:

• 500ml de requeijão com 0% de gordura (ou um iogurte com 0% de gordura) • Suco de um limão • Alguns caules de cebolinha (ou estragão) • Sal, pimenta-do-reino

A receita deve ser preparada no dia anterior à degustação.

Cozinhe a cenoura no vapor durante 10 minutos e passe no liquidificador. Coloque o dourado no liquidificador e misture com as claras de ovo e o queijo cottage. Tempere com sal e pimenta-do-reino.

Divida a mistura em três partes. Em uma delas, adicione o purê de cenoura. Na outra, o espinafre (cozido e batido no liquidificador no dia anterior). A última parte não deve ser misturada.

Em uma forma forrada com papel-filme, coloque uma camada de cada mistura, separada por uma camada de salmão cortado em fatias. Leve ao forno a 180 graus por 45 minutos

Para o molho: misture o requeijão, o suco de limão e as ervas.

Creme de atum

Preparo: 10 minutos
Cozimento: 25 minutos
Rendimento: 2 porções

INGREDIENTES:

• 500ml de água • 200g de atum em lata (sem gordura) • 1 cebola • 1 dente de alho • 300g de abobrinha • 3 colheres de sopa de extrato de tomate • Sal, pimenta-do-reino

Esquente a água em uma panela. Esmigalhe o atum. Descasque e, em seguida, pique a cebola e o alho. Lave, descasque e corte as abobrinhas em rodelas.

Na água salgada, coloque o atum, a cebola, o alho, as abobrinhas e o extrato de tomate. Adicione pimenta-do-reino.

Tampe e cozinhe por 25 minutos.

Terrina de inverno

Preparo: 40 minutos
Cozimento: 45 minutos
Rendimento: 6 porções

INGREDIENTES:

• 600g de erva-doce • 450g de filé de salmão sem pele • 150g de queijo cottage com 0% de gordura • 2 claras de ovo • 1 colher de sopa de aneto picado • 1 pitada de curry • Sal, pimenta-do-reino

Descasque e corte a erva-doce em cubinhos. Cozinhe no vapor durante 10 minutos. Corte 300g de salmão em pedaços grandes e fatie os 150g restantes.

Quanto a erva-doce estiver cozida, escorra e bata no liquidificador, até obter um purê homogêneo (reserve três colheres de sopa). Adicione o queijo cottage, o sal, a pimenta-do-reino, uma pitada de curry e uma gema ao purê. Misture.

Bata o salmão com três colheres de purê de erva-doce no liquidificador. Acrescente a segunda clara de ovo e tempere.

Preaqueça o forno a 180 graus.

Forre uma forma com capacidade de um litro com papel-manteiga. Coloque a metade do purê de salmão e salpique metade do aneto picado sobre o purê. Cubra com um terço do purê de erva-doce e, em seguida, metade das fatias de salmão. Continue alternando com um pouco de erva-doce e fatias de salmão, terminando com o resto do purê.

Acrescente o aneto e termine com o resto do purê de salmão. Tampe e asse no forno em banho-maria por 45 minutos.

Dourado em papelotes com compota de chalota

Preparo: 20 minutos
Cozimento: 15 minutos
Rendimento: 1 porção

INGREDIENTES:

• 1 chalota pequena • 2 filés de dourado • 1 colher de sopa de salsa picada • Sal, pimenta-do-reino

Descasque e pique a chalota. Cozinhe-a em fogo brando, em uma frigideira antiaderente, ligeiramente untada de óleo. A chalota não deve dourar.

Preaqueça o forno a 180 graus.

Em duas folhas de papel-manteiga, espalhe a chalota e coloque um filé de dourado em cima de cada folha. Adicione sal, pimenta-do-reino e salpique a salsa.

Feche os papelotes e coloque-os em uma forma para assar no forno por cerca de 15 minutos.

Tartár de dourado apimentado

Preparo: 15 minutos
Sem cozimento
Rendimento: 4 porções

INGREDIENTES:

• 1,2kg de dourado • 2 limões • 3 cebolas • 1 pepino • 1 bouquet de ervas (salsa, aneto, cerefólio, cebolinha) • Algumas gotas de tabasco • Sal, pimenta-do-reino

Pique o peixe grosseiramente em um liquidificador e esprema os limões. Descasque e pique as cebolas.

Descaque o pepino e corte-o em pequenos cubos. Lave e pique as ervas

Misture todos os ingredientes em um recipiente grande. Tempere com sal, pimenta-do-reino e tabasco

Terrina rápida

Preparo: 15 minutos
Cozimento: 40 minutos
Rendimento: 8 porções

INGREDIENTES:

• 560g de peixe branco • 1 tablete de caldo de peixe sem gordura • 450g de espinafre congelado • 2 ovos • Sal, pimenta-do-reino

Cozinhe o peixe no caldo por 10 minutos, em fogo médio, sem tampar. Descongele o espinafre e bata no liquidificador com o peixe escorrido. Tempere com sal e pimenta-do-reino. Separe as gemas das claras de ovo e bata as claras em neve. Junte as gemas com a mistura de peixe com espinafre. Em seguida, incorpore as claras em neve delicadamente à mistura.

Leve ao forno em uma forma e cozinhe em banho-maria por 30 minutos a 200 graus.

Sirva quente ou frio.

Atum com três pimentões

Preparo: 20 minutos
Cozimento: 25 minutos
Rendimento: 2 porções

INGREDIENTES:

• 1 pimentão vermelho • 1 pimentão amarelo • 1 pimentão verde • 1 posta de atum de 700g • 1 ou 2 limões • 2 dentes de alho • Sal, pimenta-do-reino branca

Lave e retire as sementes dos pimentões e corte-os em dois. Grelhe no forno durante 5 minutos e, em seguida, coloque-os por 10 minutos em um saco plástico, para facilitar na hora de descascar.

Em seguida, corte os pimentões em fatias e refogue por alguns minutos em uma frigideira antiaderente ligeiramente untada de óleo, com um pouco de água, em fogo médio.

Tempere o atum e cozinhe durante 20 minutos no vapor. Misture o suco de limão, o alho e os pimentões. Quando o atum estiver cozido, deixe esfriar e leve para marinar com os pimentões na geladeira, por 2 a 3 horas, virando o atum constantemente. Sirva fresco.

Os legumes para acompanhamento

Berinjelas à moda indiana

Preparo: 20 minutos
Cozimento: 10 minutos
Rendimento: 2 porções

INGREDIENTES:

• 50g de tomate • 1 colher de sopa de ervas finas • 1 pitada de curry • 1 pitada de páprica • 1 pitada de coentro • 200g de berinjela • 50g de pimentão vermelho • Sal, pimenta-do-reino

Corte os tomates em cubos pequenos. Refogue em uma frigideira antiaderente em fogo brando. Tempere com sal e pimenta-do-reino.

Adicione as ervas finas e os condimentos.

Corte as berinjelas em fatias finas e o pimentão. Cozinhe as berinjelas e o pimentão em água fervente e espere.

Em um refratário, comece com uma camada de berinjelas cozidas e uma camada de pimentão. Termine com os tomates cozidos. Leve ao forno por 10 minutos a 210 graus.

Berinjelas com alho e salsa

Preparo: 15 minutos
Cozimento: 35 minutos
Rendimento: 2 porções

INGREDIENTES:

• 200 a 250g de berinjela • 1 dente de alho • 2 caules de salsa • Sal, pimenta-do-reino

Retire os pedúnculos, lave e seque as berinjelas. Corte-as em duas no sentido do comprimento. Retire a polpa das berinjelas.

Pique o alho, a salsa e a polpa das berinjelas. Tempere com sal e pimenta-do-reino. Recheie as berinjelas com a mistura. Feche-as em papel-alumínio e leve ao forno durante cerca de 30 a 35 minutos a 170 graus

Berinjelas com coentro

Preparo: 30 minutos
Cozimento: 45 minutos
Rendimento: 6 porções

INGREDIENTES.

• 5 berinjelas grandes • 5 tomates • 4 colheres de sopa de cebola picada • 1 colher de café de pimenta vermelha em pó • 2 colheres e meia de café de coentro picado • Sal, pimenta-do-reino

Embrulhe três berinjelas no papel-alumínio e leve ao forno por 30 minutos a 200 graus.

Em uma panela com água salgada, cozinhe as duas berinjelas restantes cortadas em duas no sentido do comprimento, em fogo alto, por 10 minutos.

Descasque e pique as três primeiras berinjelas. Corte os tomates em rodelas. Em uma frigideira, coloque as berinjelas picadas, os tomates e a cebola picada, a pimenta, e misture tudo. Tempere com sal e pimenta-do-reino. Mexa de vez em quando durante o cozimento em fogo alto. Esvazie as duas berinjelas cortadas ao meio, deixando uma borda de 1cm ao redor. Tempere com pimenta e salpique com coentro picado.

Sirva quente ou frio.

Berinjelas à moda provençal

Preparo: 15 minutos
Cozimento: 30 minutos
Rendimento: 1 porção

INGREDIENTES:

• 1 berinjela • 1 tomate • 1 cebola média • 1 dente de alho • 2 hastes de tomilho • 1 colher de sopa de manjericão • Sal, pimenta-do-reino

Lave e corte a berinjela em cubos. Lave e triture o tomate. Descasque a cebola e pique o alho. Refogue a cebola com um pouco de água, até que fique translúcida. Adicione a berinjela e doure em fogo alto e, depois, médio. Acrescente o tomate, o alho, o tomilho e o manjericão.

Tempere com sal e pimenta-do-reino.

Tampe e cozinhe por 30 minutos em fogo brando.

Nhoque de ricota e espinafre

Preparo: 15 minutos
Cozimento: 30 minutos
Rendimento: 3 porções

INGREDIENTES:

• 300g de ricota fresca light • 1 maço de espinafre • 2 colheres de sopa de farelo de aveia • 1 colher de sopa cheia de requeijão com 0% de gordura • Molho de tomate fresco • Temperos e sal a gosto

Cozinhe e refogue o espinafre com os temperos e o sal. Depois de cozido e escorrido, pique ou triture um pouco o espinafre. Amasse a ricota com um garfo e vá acrescentando o espinafre aos poucos. Se preferir, coloque a ricota e o espinafre no processador, assim a massa ficará verde. Junte o farelo de aveia e o requeijão a essa massa, ajuste o sal e temperos. Faça bolinhas e coloque no forno por 10 minutos para encorpar. Acrescente o molho de tomate por cima. Esquente numa panela ou no micro-ondas com o molho para não ressecar.

Receita criada por Luiza Nadal

Acelga com tofu

Preparo: 20 minutos
Cozimento: 20 minutos
Rendimento: 4 porções

INGREDIENTES:

• 500g de acelga • 400g de espinafre • ½ cebola • 240g de tofu • 1 colher de café de molho shoyu light • 1 colher de café de menta • Sal, pimenta-do-reino

Lave a acelga e o espinafre; escorra-os e corte-os.

Em uma frigideira antiaderente, refogue meia cebola picada em pedaços pequenos até que dourem. Em seguida, tampe e cozinhe por 10 minutos.

Enquanto isso, corte o tofu em cubos. Refogue na frigideira durante 5 minutos com o molho de soja em fogo bem baixo.

Tempere com sal, pimenta-do-reino e cozinhe por mais 5 minutos.

Sirva os legumes quentes com o tofu e salpique com a menta picada.

Caldo de legumes da Eugénie

Preparo: 15 minutos
Cozimento: 6 minutos
Rendimento: 1 porção

INGREDIENTES:

• 50g de cenoura • 50g de cogumelos Paris • 25g de aipo em ramos • 25g de alho-poró (parte branca) • 2 tomates médios • 1,25l de caldo de galinha sem gordura • 1 maço de salsa • Sal, pimenta-do-reino

Corte os legumes lavados e descascados em bastões bem finos. Corte os tomates em quatro. Retire as sementes e a água; em seguida, corte grosseiramente em cubos. Leve o caldo para ferver, tempere com sal e pimenta-do-reino.

Mergulhe os legumes (menos os tomates) no caldo e cozinhe-os sem tampar a panela por 5 a 6 minutos (os legumes devem ficar um pouco crocantes). Retire a panela do fogo, adicione os pedaços de tomate e a salsa finamente picada.

Sirva quente.

Palmito pupunha com molho

Preparo: 5 minutos
Cozimento: 1 hora
Rendimento: 6 porções

INGREDIENTES:

• 1 palmito pupunha inteiro com casca • 2 colheres de sopa de requeijão com 0% de gordura • 1 colher de sopa de leite desnatado • Alecrim e sal a gosto

Enrole o palmito em papel-alumínio e coloque no forno por aproximadamente 1 hora. Abra o alumínio e corte a parte superior da casca abrindo-a e fazendo uma canaleta. Misture o requeijão, o leite e o sal até obter uma pasta homogênea. Desprenda o interior do palmito da casca, passe a mistura do molho ao redor do interior do palmito. Coloque o alecrim e volte à assadeira para o forno até que o palmito termine de amolecer.

Receita criada por Luiza Nadal

Cogumelos à moda grega

Preparo: 20 minutos
Cozimento: 12 minutos
Rendimento: 2 porções

INGREDIENTES:

• 5 colheradas de café de suco de limão • 2 folhas de louro • 1 colher de café de coentro em grãos • 1 colher de café de pimenta-do-reino • 700g de cogumelos Paris • 4 colheres de café de salsa picada • Sal

Coloque meio litro de água em uma panela com o suco de limão, as folhas de louro, o coentro em grãos e a pimenta-do-reino. Tempere com sal. Leve para ferver e cozinhe por 10 minutos.

Remova a parte com terra dos pés dos champignons. Lave rapidamente, escorra-os e corte-os em pedaços. Adicione os cogumelos à panela e espere que volte a ferver. Marque 2 minutos e desligue o fogo.

Acrescente a salsa. Misture delicadamente. Deixe esfriar totalmente no caldo do cozimento.

Escorra os cogumelos, coloque-os em um prato e regue com o caldo do cozimento, adicionando alguns grãos de coentro.

Chips de tomate com páprica

Preparo: 10 minutos
Cozimento: 2 horas
Rendimento: 4 porções

INGREDIENTES.

• 10 tomates • 1 boa pitada de páprica

Escolha tomates redondos e bem firmes. Corte em rodelas de 2mm de espessura. Coloque-os sobre papel-manteiga e salpique-os com páprica

Leve ao forno por 2 horas a 100 graus.

Conserve em local seco, em uma caixa hermética.

Quiche de shimeji e shitake

Preparo: 15 minutos
Cozimento: 1 hora
Rendimento: 4 porções

INGREDIENTES:

• 3 gemas • 4 claras • 1 bandeja pequena de shimeji • 1 bandeja pequena de shitake • 200ml de leite desnatado • 4 colheres de sopa de ricota light • 2 colheres de requeijão cremoso com 0% de gordura • Sal, cebola, alho e ervas a gosto

Lave bem os shimejis e shitakes e cozinhe em água. Corte em pedaços e refogue com cebola, alho, sal e temperos. Por último, acrescente o requeijão cremoso. Bata as gemas, a ricota e o leite no liquidificador. Coloque essa mistura nos shimejis e shitakes refogados. Bata as claras em neve e misture delicadamente. Despeje a massa em uma forma com fundo removível. Leve ao forno a 160 graus até dourar.

Receita criada por Luiza Nadal

Couve-flor no vapor

Preparo: 10 minutos
Cozimento: 15 minutos
Rendimento: 2 porções

INGREDIENTES:

• 400g de couve-flor • 2 ovos cozidos • Suco de um limão • 2 colheres de café de salsa picada • 1 pitada de cominho • Sal, pimenta-do-reino

Cozinhe a couve-flor no vapor por 15 minutos. Coloque-a em um prato e cubra-a com os ovos cozidos triturados em um mixer.

Tempere com suco de limão, salsa, cominho, sal e pimenta-do-reino.

Coquetel garden-party

Preparo: 10 minutos
Sem cozimento
Rendimento: 1 porção

INGREDIENTES:

• 50g de cenoura • 30g de aipo • 150g de tomate • Suco de um limão • 50ml de água

Passe todos os ingredientes lavados e descascados em uma centrífuga.

Sirva bem frio.

Coquetel vitalidade

Preparo: 15 minutos
Sem cozimento
Rendimento: 2 porções

INGREDIENTES:

• 300g de cenoura • 100g de aipo-rábano • 400ml de água • 25g de aneto • 5g de sal

Lave a cenoura e descasque o aipo. Corte os legumes em pequenos pedaços.

Passe os legumes no liquidificador com a água, o aneto e o sal, até obter uma mistura homogênea (cerca de 45 segundos). Sirva bem frio.

Abobrinha à moda camponesa

Preparo: 10 minutos
Cozimento: 20 minutos
Rendimento: 2 porções

INGREDIENTES:

• 250g de abobrinha • 100g de requeijão com 0% de gordura • 1 colher de café de ervas finas • Alguns caules de salsa picada • Sal, pimenta-do-reino

Descasque, retire as sementes, pique e cozinhe as abobrinhas no vapor.

Em um refratário, coloque a abobrinha, cobrindo-a com o molho obtido na mistura do requeijão com as ervas finas.

Tempere com sal e pimenta-do-reino. Leve ao forno por alguns minutos, a 210 graus. Salpique a salsa na hora de servir.

Abobrinha com molho de tomate

Preparo: 10 minutos
Cozimento: 40 minutos
Rendimento: 2 porções

INGREDIENTES:

• 2 abobrinhas • 4 tomates • 1 colher de ervas finas • 1 dente de alho • Sal, pimenta-do-reino

Corte as abobrinhas em cubos e coloque-as numa panela. Adicione os tomates descascados e sem sementes, assim como as ervas.

Cozinhe em fogo brando, sem tampa, por 35 a 40 minutos. Ao final do cozimento, junte o alho espremido. Tempere com sal e pimenta-do-reino.

Creme de couve-flor com açafrão

Preparo: 20 minutos
Cozimento: 55 minutos
Rendimento: 4 porções

INGREDIENTES:

• 500g de couve-flor • 750ml de leite desnatado • 2 dentes de alho • 1 pitada de noz-moscada • 1 pitada de açafrão • 1 maço pequeno de cerefólio • Sal, pimenta-do-reino

Em uma panela com água salgada e fervente, cozinhe a couve-flor por 5 minutos. Deixe esfriar e, em seguida, escorra a couve-flor.

Ferva o leite e adicione a couve-flor e os dentes de alho descascados. Cozinhe lentamente, sem tampa, por 45 minutos.

Bata tudo no liquidificador, até obter uma mistura cremosa. Retorne-a à panela, adicione a noz-moscada e o açafrão.

Cozinhe o creme sem tampa por 5 minutos em fogo brando. Coloque o creme em um recipiente quente, tempere com sal e pimenta-do-reino.

Decore com folhas de cerefólio. Sirva imediatamente.

Curry de pepino

Preparo: 20 minutos
Cozimento: 22 minutos
Rendimento: 4 porções

INGREDIENTES:

• 2 pepinos médios • 1 pimenta pequena • 1 colher de sopa pequena de curry • 4 tomates • 100ml de leite desnatado • 1 colher de café de amido de milho • Sal

Corte os pepinos em duas partes, no sentido do comprimento. Em seguida, corte as duas metades em bastões de 1cm.

Em uma panela antiaderente, refogue a pimenta picada com o curry, acrescente o pepino e cozinhe em fogo brando por 10 minutos.

Adicione os tomates cortados grosseiramente em quatro partes e cozinhe por mais 10 minutos.

Em uma outra panela, misture o leite com o amido de milho, junte aos legumes e cozinhe por 1 ou 2 minutos, para que o molho engrosse. Sirva quente.

Espinafres tricolores

Preparo: 20 minutos
Cozimento: 1 hora
Rendimento: 4 porções

INGREDIENTES:

• 400g de espinafre congelado • 3 tomates • 2 pimentões • Alguns caules de tomilho • 1 folha de louro • Sal, pimenta-do-reino

Descongele o espinafre como indicado no modo de preparo.

Em uma panela, coloque os tomates cortados em pequenos pedaços, os pimentões cortados em fatias, o tomilho, a folha de louro e um copo de água.

Tempere com sal e pimenta-do-reino. Cozinhe por 10 minutos em fogo brando, sem tampa. Adicione o espinafre e sirva bem quente.

Cozido de berinjela

Preparo: 20 minutos
Cozimento: 1 hora
Rendimento: 4 porções

INGREDIENTES:

• 600g de berinjela • 2 cebolas • 1kg de tomate • 2 dentes de alho • Sal, pimenta-do-reino

Descasque as berinjelas, corte-as em fatias de 1cm de espessura no sentido do comprimento.

Em uma frigideira ligeiramente untada de óleo, refogue a cebola picada em fogo médio.

Descasque os tomates e corte em pedaços, adicione a cebola com os dentes de alho descascados e triturados. Tempere com sal e pimenta-do-reino. Cozinhe por 30 minutos em fogo médio com tampa. Triture até obter um purê e retorne-o à frigideira.

Adicione a berinjela ao purê de tomate. Cozinhe sem tampa, lentamente, por mais 30 minutos.

Acerte o tempero.

Mousse de pepino

Preparo: 25 minutos
Sem cozimento
Rendimento: 2 porções

INGREDIENTES:

• 4 folhas de gelatina • 2 pepinos • 1 limão • 400g de queijo cottage com 0% de gordura • 100ml de leite desnatado • Alguns caules de salsa e estragão • Sal, pimenta-do-reino

Dissolva as folhas de gelatina em um recipiente com água fria.

Descasque os pepinos, corte-os em fatias e salpique com sal. Deixe que libere a água por 1 hora e, em seguida, lave em água fria usando uma esponja para retirar o excesso.

Esquente o leite em fogo brando e adicione a gelatina.

Passe o pepino no liquidificador. Adicione o queijo cottage, o leite com gelatina, as raspas e o suco do limão, a cebola picada, a salsa e o estragão picados. Tempere com sal e pimenta-do-reino.

Coloque a mistura em uma forma de bolo antiaderente (ou forre uma forma com papel-filme) e leve à geladeira por cerca de 12 horas.

Mousse de pimentão

Preparo: 10 minutos
Cozimento: 15 minutos
Rendimento: 4 porções

INGREDIENTES:

• 1 pimentão amarelo • 1 pimentão vermelho • 2 colheres de sopa de adoçante líquido • 120g de presunto sem gordura • 200g de requeijão com 0% de gordura • Algumas hastes de salsa • Sal, pimenta-do-reino

Descasque os pimentões, corte-os em dois no sentido do comprimento e retire as sementes. Coloque os pimentões em uma panela com água fria e o adoçante. Tempere com sal e pimenta-do-reino. Ferva e cozinhe por 10 minutos. Escorra-os, reserve quatro pedaços e corte-os em fatias finas para a decoração.

Passe os pimentões no liquidificador com o presunto. Seque o purê em fogo brando por 5 minutos. Coloque em um recipiente e deixe esfriar.

Antes de servir, incorpore o requeijão ao purê e decore com fatias finas de pimentão. Salpique a salsa.

Sopa acidulada

Preparo: 15 minutos
Sem cozimento
Rendimento: 2 porções

INGREDIENTES:

• 600g de tomate • 200g de cenoura • 1 ramo de aipo com as folhas • 1 limão • Algumas gotas de tabasco • Sal, pimenta-do-reino

Corte os tomates, as cenouras e o aipo em pedaços de 2cm.

Lave o limão, descasque a metade e corte em pequenos cubos. Coloque todos os ingredientes em um mixer, temperando com sal, pimenta-do-reino e tabasco.

Leve à geladeira por 1 hora.

Sopa cremosa de erva-doce

Preparo: 20 minutos
Cozimento: 40 minutos
Rendimento: 1 porção

INGREDIENTES:

• 3 bulbos de erva-doce • 1l de caldo de galinha sem gordura • 500ml de água • 4 tomates bem maduros • 3 chalotas • 2 dentes de alho • Algumas hastes de tomilho • 1 pequeno ramo de louro • 50g de requeijão com 0% de gordura • Algumas hastes de salsa picada • Sal, pimenta-do-reino

Lave e corte os bulbos de erva-doce em fatias finas. Cozinhe em fogo médio no caldo de galinha por cerca de 20 minutos, sem tampa.

Enquanto isso, descasque e retire as sementes dos tomates, pique as chalotas e o alho. Triture tudo sem cozimento com um mixer. Adicione a mistura ao caldo com o tomilho e o louro. Tempere com sal e pimenta-do-reino.

Cozinhe por 30 minutos. Adicione o requeijão e a salsa picada na hora de servir.

Suflê de queijo e alho-poró

Preparo: 20 minutos
Cozimento: 35 minutos
Rendimento: 6 porções

INGREDIENTES:

• 4 ou 5 talos de minialho-poró (1 talo de tamanho médio) • 1 cebola • 400ml de leite desnatado • 4 gemas • 1 colher de sopa rasa de amido de milho • 4 colheres de requeijão cremoso com 0% de gordura • 2 colheres de sopa de ricota light • 5 claras • Sal, noz-moscada e pimenta a gosto

Corte o alho-poró em lâminas bem finas. Pique a cebola em cubos pequenos. Refogue primeiro a cebola com 2 colheres de requeijão e um pouco de leite. Quando a cebola começar a amolecer, acrescente o alho-poró e refogue até ficar al dente. Dissolva o amido de milho, acrescente o restante do leite com o sal, a noz-moscada e a pimenta em grãos, mexendo o tempo todo para não empelotar. Engrosse o creme até ficar com consistência cremosa e homogênea. Desligue ou abaixe bem o fogo e vá colocando as gemas, uma a uma, mexendo sempre. Amasse a ricota com um garfo e incorpore-a ao refogado. Espere esfriar um pouco. Bata as claras em neve até ficarem firmes e misture-as delicadamente ao refogado com uma espátula. Preaqueça o forno a 180 graus. Coloque em recipientes refratários, encha aproximadamente ¾ do recipiente. Em forno baixo, asse por aproximadamente 35 minutos, dependendo do forno. O suflê estará pronto quando crescer e a parte superior ficar levemente dourada. Sirva assim que sair do forno.

Receita criada por Luiza Nadal

Sopa de berinjela com curry vermelho

Preparo: 20 minutos
Cozimento: 45 minutos
Rendimento: 1 porção

INGREDIENTES:

• 1 berinjela • 1 cebola roxa picada • 1 pimenta picada • 1 colher de sopa de curry em pó • ½ colher de café de canela em pó • ¼ de cravo moído • 250g de tomate triturado • 750ml de caldo de legumes sem gordura • Sal, pimenta-do-reino

Retire as extremidades das berinjelas e corte-as em fatias de 2,5cm de espessura.

Em uma panela grande ligeiramente untada de óleo, refogue a cebola em fogo médio por 3 minutos. Adicione a pimenta, o curry, a canela e o cravo. Tempere com sal. Refogue por mais 2 minutos e, em seguida, adicione a berinjela, os tomates e o caldo.

Cozinhe por 40 minutos, com a panela semicoberta. Reserve e deixe esfriar.

Bata tudo com um mixer e esquente lentamente. Acerte o tempero.

Sopa de nabo com curry

Preparo: 20 minutos

Cozimento: 45 minutos

Rendimento: 2 porções

INGREDIENTES:

• 1kg de nabo • 1 cebola • 4 dentes de alho • 1 pitada de curry em pó • 900ml de caldo de galinha sem gordura • Algumas gotas de tabasco • ½ limão • 200g de iogurte com 0% de gordura • 70g de fatias finas de presunto sem gordura • 2 ramos de salsa (ou de cebolinha) picados bem finos • 1 pitada de noz-moscada • Sal, pimenta-do-reino

Descasque e retire a parte central e mais dura dos nabos. Descasque a cebola e pique-a grosseiramente.

Descasque os dentes de alho e pique.

Refogue a cebola e o alho em fogo médio. Tampe e cozinhe por 5 minutos, e, em seguida, adicione os nabos.

Misture, tampe e cozinhe por 10 minutos, tomando conta do cozimento. Adicione o curry, misture bem e junte o caldo.

Cozinhe por cerca de 30 minutos, até que comece a ferver.

Bata tudo no liquidificador: a sopa deve ser bem fina. Acerte o tempero. Acrescente algumas gotas de tabasco e o suco de meio limão.

Esquente e adicione 150g de iogurte.

Enquanto isso, frite o presunto em seu próprio caldo de cozimento em uma frigideira. Escorra, transfira-o para uma folha de papel toalha e amasse-o com os dedos.

Sirva a sopa com um pouco de iogurte, salpique o bacon, a salsa e a noz-moscada.

Purê de abobrinha ou berinjela

Preparo: 10 minutos
Cozimento: 20 minutos
Rendimento: 1 porção

INGREDIENTES:

• 1 tomate • 1 abobrinha (ou 1 berinjela) • 1 colher de café de ervas finas • 1 dente de alho picado

Descasque e corte o tomate e a abobrinha (ou a berinjela) em cubos.

Cozinhe durante 20 minutos no vapor. Bata tudo com um mixer. Adicione as ervas finas e o alho. Leve à geladeira por 1 hora e sirva frio.

Salada de berinjela

Preparo: 15 minutos
Cozimento: 20 minutos
Rendimento: 2 porções

Ingredientes:

• 2 berinjelas grandes • 1 colher de café de vinagre • 1 dente de alho • 4 cebolinhas • 1 chalota • 2 hastes de salsa • Sal, pimenta-do-reino

Descasque e corte as berinjelas em pedaços grandes. Cozinhe em fogo alto com água fervente por cerca de 20 minutos.

Baixe o fogo e cozinhe por mais 20 minutos. Deixe esfriar e esmague com um garfo.

Regue a berinjela com um molho vinagrete bem-temperado com alho picado, cebolinha e chalota em pedaços bem-pequenos.

Salpique a salsa picada e sirva bem frio.

Salada de salsa

Preparo: 10 minutos
Sem cozimento
Rendimento: 2 porções

INGREDIENTES:

• 1 maço bem grande de salsa • 1 cebola média • 1 limão e meio • Sal

Lave a salsa e seque-a com papel-toalha.

Corte fora os talos. Descasque e pique a cebola. Em um recipiente, coloque a salsa e a cebola picada.

Adicione a polpa de um limão e o suco da metade de um limão. Tempere com sal e misture. Sirva bem frio.

Esta salada é ideal para acompanhar carnes grelhadas.

Salada do pastor

Preparo: 15 minutos
Sem cozimento
Rendimento: 2 porções

INGREDIENTES:

• 4 tomates • 2 pepinos pequenos • 2 cebolas • 2 pimentas • Algumas folhas de menta • 3 hastes de salsa • Suco de ½ limão • Sal, pimenta-do-reino

Corte os tomates e os pepinos em cubos e coloque em um recipiente grande.

Corte as cebolas em rodelas bem finas, pique as pimentas (retirando as sementes), pique a menta e a salsa, e junte aos tomates e pepinos.

Tempere com limão, sal e pimenta-do-reino.

Sopa de cenoura, erva-doce e tomilho

Preparo: 20 minutos
Cozimento: 25 minutos
Rendimento: 3 porções

INGREDIENTES:

• 350g de cebola • 350g de alho-poró • Dois dentes de alho picados • ¼ de colher de café de grãos de erva-doce • ½ colher de café de tomilho • 4 cenouras médias cortadas em cubos • 1 bulbo de erva-doce cortado em cubos • 1l de caldo de galinha sem gordura • Sal, pimenta-do-reino

Em uma frigideira levemente untada de óleo, refogue a cebola, o alho-poró, os grãos de erva-doce e o tomilho em fogo médio, até que libere o aroma.

Adicione a cenoura e a erva-doce, e cozinhe durante alguns minutos. Acrescente o caldo e tempere com sal e pimenta-do-reino. Cozinhe até que a cenoura e a erva-doce fiquem macias. Se o caldo evaporar muito, adicione água.

Na hora de servir, acrescente algumas folhas secas de erva-doce picadas em cada prato de sopa.

Sopa de limão à moda grega

Preparo: 10 minutos
Cozimento: 10 minutos
Rendimento: 2 porções

INGREDIENTES:

• 1l de água • 2 cubos de caldo de galinha sem gordura • 1 pitada de açafrão • 2 cenouras • 2 abobrinhas • 2 gemas de ovo • 1 limão

Ferva a água com os cubos de caldo de galinha e o açafrão. Enquanto isso, rale grosseiramente a cenoura e a abobrinha. Adicione a cenoura ao caldo e deixe ferver por 5 minutos. Acrescente a abobrinha e ferva por 3 minutos.

Adicione uma ou duas gemas de ovo, as raspas e o suco de limão. Mantenha em fogo médio para não ferver mais.

Sopa de pepino com pimentão

Preparo: 15 minutos
Sem cozimento
Rendimento: 1 porção

INGREDIENTES:

• 1 pimentão vermelho • 1 pimentão verde • 4 tomates • 2 pepinos • 1 ramo pequeno de menta fresca • Sal, pimenta-do-reino

Lave, descasque, corte e retire as sementes dos pimentões, tomates e pepinos.

Bata tudo no liquidificador com a menta. Tempere a gosto e sirva gelada.

Sopa de erva-doce

Preparo: 15 minutos
Cozimento: 30 minutos
Rendimento: 1 porção

INGREDIENTES:

• 1 erva-doce pequena • 2 tomates • 1 abobrinha • 1 pitada de tomilho • 1 ramo pequeno de louro • Sal, pimenta-do-reino • 2 colheres de sopa de queijo cottage com 0% de gordura

Corte a erva-doce em quatro, no sentido do comprimento, e cozinhe-a em meio litro de água fervente e salgada.

Prepare os tomates e a abobrinha, cortando em pedaços grandes e adicionando ao caldo de erva-doce e os temperos.

Cozinhe por 15 minutos em fogo médio, sem tampa, até que os legumes fiquem macios. Retire as folhas de louro e bata no liquidificador. Tempere com sal e pimenta-do-reino a gosto.

Adicione um pouco de queijo cottage para dar liga à sopa.

Sopa de pepino

Preparo: 10 minutos
Sem cozimento
Rendimento: 1 porção

INGREDIENTES:

• ½ pepino • 1 dente de alho • 1 colher de sopa de polpa de tomate • Algumas gotas de tabasco • 1 colher de sopa de requeijão com 0% de gordura • Alguns cubos de gelo • Sal, pimenta-do-reino

Descasque o pepino e bata-o no liquidificador com sal, pimenta-do-reino e alho.

Junte a polpa de tomate, o tabasco a gosto, o requeijão e os cubos de gelo.

Sirva gelada.

Sopa gelada de tomate

Preparo: 20 minutos
Sem cozimento
Rendimento: 4 porções

INGREDIENTES:

• 1kg de tomate • 1 cebola • 1 dente de alho • 3 ramos de salsa • 1 ramo de manjericão • 1 ramo de segurelha • 1 ramo de tomilho • Sal, pimenta-do-reino

Lave, retire as sementes e corte os tomates em quatro. Descasque e corte a cebola em quatro. Descasque o alho.

Esmague os tomates e acrescente a salsa, o manjericão, a cebola e o dente de alho. Pique bem o tomilho e a segurelha e, em seguida, incorpore ao purê de tomate. Tempere com sal e pimenta-do-reino.

Transfira a sopa para uma terrina de sopas e leve à geladeira. Sirva fria.

Tajine de abobrinha

Preparo: 10 minutos
Cozimento: 40 minutos
Rendimento: 2 porções

INGREDIENTES:

• 2 dentes de alho • 1 colher de café de cominho em pó • 1 colher de café de coentro em pó • 1 colher de café de ras el hanout (ou garam massala) em pó • 500ml de água • 1 cubo de caldo de galinha sem gordura • 2 colheres de sopa de extrato de tomate • 4 abobrinhas

PARA A APRESENTAÇÃO:

1 limão • 1 maço de coentro

Refogue o alho picado e os condimentos em uma panela grande em fogo baixo durante alguns minutos.

Adicione a água, o cubo de caldo de galinha, o extrato de tomate e as abobrinhas cortadas em rodelas. Cozinhe por 35 minutos em fogo médio tampada com panela e sirva com molho de limão e coentro, se possível, em uma panela do tipo tajine.

Tatziki

Preparo: 10 minutos
Sem cozimento
Rendimento: 1 porção

INGREDIENTES:

• ½ pepino • 1 dente de alho cortado em pedaços bem pequenos • 2 potes de iogurte com 0% de gordura • Sal

Salpique o pepino descascado, sem sementes e cortado em pequenos pedaços, com uma boa pitada de sal e deixe a água evaporar por alguns minutos.

Em seguida, misture todos os ingredientes e leve à geladeira por algumas horas. Sirva gelada.

Terrina de berinjela

Preparo: 25 minutos
Cozimento: 1 hora e 25 minutos
Rendimento: 4 porções

INGREDIENTES:

• 2 berinjelas • 100g de presunto de frango (ou de peru) • 3 ramos de aipo • 1 dente de alho • 3 ramos de salsa picada • 3 tomates

Corte as berinjelas em fatias e salpique sal para retirar o excesso de água.

Refogue o presunto cortado em cubos em uma frigideira. Reserve. Guarde o caldo do cozimento para os legumes.

Corte os ramos de aipo e refogue-os na frigideira em fogo brando. Misture o presunto e o aipo.

Em um refratário, faça uma camada com fatias de berinjela, uma com mistura de presunto, aipo, salsa e alho picados, uma com tomates em fatias e, para terminar, uma com as fatias de berinjela restantes.

Leve ao forno por 1 hora a 180 graus.

Terrina de alho-poró

Preparo: 30 minutos
Cozimento: 30 minutos
Rendimento: 6 porções

INGREDIENTES:

• 2 kg de alho-poró • 4 tomates • 1 colher de sopa de vinagre de vinho • 2 colheres de sopa de ervas finas bem picadas • Sal, pimenta-do-reino

Lave o alho-poró, retire a parte verde, de maneira que tenham o comprimento da terrina. Ate pequenos maços e cozinhe em água fervente e salgada durante 20 a 30 minutos.

Escorra o alho-poró. Esprema para eliminar o máximo da água do cozimento.

Forre a terrina com papel-filme e faça alguns furos no papel-filme (para que a água possa escorrer). Coloque o alho-poró, pressionando bem. Leve à geladeira por algumas horas, retirando a água regularmente.

Enquanto isso, cozinhe os tomates em água fervente e descasque-os. Triture a polpa do tomate com o vinagre e as ervas finas, para que a mistura se transforme em molho. Tempere com sal e pimenta-do-reino.

Desenforme a terrina e sirva com o molho.

Terrina jardineira

Preparo: 15 minutos
Cozimento: 15 minutos
Rendimento: 4 porções

INGREDIENTES:

• 900g de cenoura • 500g de alho-poró • 5 ovos batidos • 125g de queijo cottage com 0% de gordura • 100g de presunto sem gordura picado • Sal, pimenta-do-reino

Cozinhe o alho-poró previamente no vapor. Rale a cenoura e bata no liquidificador o alho-poró cozido previamente.

Misture os ovos batidos, o queijo cottage, o sal e a pimenta-do-reino.

Adicione os legumes, misture bem e coloque-os em uma forma retangular. Asse sem tampa no forno preaquecido a 190 graus, e acompanhe o cozimento regularmente.

Tian à moda provençal

Preparo: 10 minutos
Cozimento: 55 minutos
Rendimento: 6 porções

INGREDIENTES:

• 5 tomates • 1 abobrinha • 2 berinjelas • 500g de pimentão vermelho • 2 pimentões verdes • 8 dentes de alho • 1 pitada de tomilho • 1 pitada de segurelha • 5 folhas de manjericão • Sal, pimenta-do-reino

Preaqueça o forno a 220 graus.

Lave os tomates, a abobrinha e as berinjelas. Seque e corte em rodelas.

Lave, seque e corte o pimentão. Retire as sementes.

Coloque as rodelas de tomate, berinjela e abobrinha alternadamente ao redor de uma forma. No meio, ponha o pimentão e os dentes de alho com casca.

Salpique o tomilho, a segurelha e as folhas de manjericão cortadas. Tempere com sal e pimenta-do-reino.

Leve ao forno por 55 minutos, molhando com um copo de água no meio do cozimento, para evitar o ressecamento dos legumes.

Tomates salsa

Preparo: 20 minutos
Cozimento: 8 minutos
Rendimento: 2 porções

INGREDIENTES:

• 4 tomates bem maduros • 1 cebola roxa (ou branca) cortada em oito partes • 2 dentes de alho triturados • 5 pimentas jalapenho • 1,5l de suco de limão • Alguns caules de coentro • Uma pitada de sal

Cozinhe os tomates em água fervente durante 30 segundos. Descasque e retire as sementes no recipiente do mixer. Coloque os pedaços de cebola, o alho e o sal.

Retire o pedúnculo das pimentas jalapenho e corte-as em duas. Guarde algumas sementes para um molho mais ou menos picante. Corte as pimentas grosseiramente e adicione ao recipiente do mixer a quantidade desejada de sementes. Triture até que o molho chegue à consistência desejada.

Transfira o molho para uma panela e cozinhe em fogo médio até que fique coberto de uma espuma rosa, o que deve acontecer em cerca de entre 6 e 8 minutos de cozimento.

Retire do fogo e deixe esfriar por pelo menos 10 minutos. Adicione o suco de limão e o coentro.

Tortilha de abobrinha e tomate

Preparo: 15 minutos
Cozimento: 10 minutos
Rendimento: 4 porções

INGREDIENTES:

• 4 abobrinhas pequenas • 2 tomates • 1 cebola grande • 8 claras • 4 gemas • ½ caldo de legumes sem gordura • Sal e pimenta do reino a gosto

Pique as cebolas e coloque em uma panela com um pouco de caldo de legumes para dourar, em fogo baixo. Corte as abobrinhas bem finas tipo "chips" e adicione as cebolas, intercalando com os tomates. Deixe cozinhar por alguns minutos. Não deixe criar água. Bata os ovos, tempere com pimenta e sal e jogue sobre as abobrinhas e tomates.

Receita criada por Luiza Nadal

Tortilha de espinafre

Preparo: 15 minutos
Cozimento: 10 minutos
Rendimento: 3 porções

INGREDIENTES:

• 4 gemas • 4 claras • 200g de espinafre • 200ml de leite desnatado • 4 colheres de sopa de ricota light • 2 colheres de sopa de requeijão cremoso com 0% de gordura

Refogue o espinafre e reserve. Bata as claras em neve bem firmes e reserve. Bata bem as gemas, o leite, a ricota, o requeijão e o sal. Adicione o espinafre à mistura e por último as claras em neve, misturando delicadamente, sem bater. Leve ao forno a 160 graus por 10 minutos.

Receita criada por Luiza Nadal

Ensopado de jiló

Cozimento: 20 minutos
Preparo: 10 minutos
Rendimento: 2 porções

INGREDIENTES:

• 4 jilós cortados em quatro pedaços • 1 cebola picada • 1 dente de alho picado • ½ alho-poró cortado em fatias finas • sal • pimenta • 1 cubo de caldo de legumes

Dilua o caldo de legumes em 100ml de água quente. Cozinhe todos os legumes (jiló, cebola, alho e alho-poró) em 200ml de água já com o caldo de legumes por 20 minutos, com uma pitada de sal e pimenta.

Chuchu gratinado com ricota

Cozimento: 45 minutos
Preparo: 30 minutos
Rendimento: 4 porções

INGREDIENTES:

• 7 chuchus • 100ml de creme de leite fresco light • 1 bouquet garni • 1 cebola picada • 1 dente de alho picado • 100g de ricota • sal • pimenta • 1 colher de sopa de óleo de girassol

Corte os chuchus em cubos e em seguida cozinhe em uma panela com a cebola, o alho, o bouquet garni, o sal e a pimenta em uma colher de sopa de óleo de girassol por 20 minutos. Depois de cozidos, arrume-os em uma assadeira quadrada, adicione o creme de leite fresco e a ricota. Preaqueça o forno a 180 graus durante 15 minutos. Em seguida, leve a assadeira ao forno a 180 graus por 10 minutos.

Chuchu ao creme

Cozimento: 20 minutos
Preparo: 20 minutos
Rendimento: 2 porções

INGREDIENTES:

• 2 chuchus cortados à julienne • 200ml de creme de leite light • 1 cebola cortada à julienne • Sal • Pimentão verde • 1 sachê de caldo de legumes

Refogue os chuchus e a cebola em uma panela com 200ml de água e um sachê de caldo de legumes por 10 minutos. Adicione 200ml de creme de leite, sal e pimenta. Cozinhe por10 minutos.

Mil-folhas de chuchu ao molho de tomate

Cozimento: 45 minutos
Preparo: 30 minutos
Rendimento: 4 porções

INGREDIENTES:

• 6 chuchus grandes • 500g de tomate picado • 1 cebola grande • 1 dente de alho • 1 molho de manjericão • sal • 1 colher de sopa de óleo de girassol

Em uma panela com 300ml de água, coloque a cebola, o dente de alho, o manjericão e o tomate picados e o óleo de girassol . Usando um fatiador, corte o chuchu no comprimento. Sobreponha uma camada de chuchu e uma camada de molho de tomate e assim por diante, até completar uma assadeira. Preaqueça o forno a 180 graus por 10 minutos. Em seguida, leve ao forno por 35 minutos.

Vegetais verdes com coentro e salsa

Cozimento: 15 minutos
Preparo: 20 minutos
Rendimento: 4 pessoas

INGREDIENTES:

• 2 maxixes cortados em fatias • 2 jilós cortados em fatias • 200g de vagens frescas • ½ alho-poró • 1 abobrinha cortada em fatias • 1 chuchu cortado em fatias • 1 talo de aipo • 1 cebola cortada à julienne • 1 ramo de salsa • 1 maço de coentro picado • 1 sachê de caldo de legumes diluído em 200ml de água morna • Sal

Em uma panela, refogue todos os legumes em 200ml de caldo de legumes por 15 minutos, mexendo e observando-os de modo que fiquem crocantes. Uma vez cozidos os legumes, adicione a salsa picada e o coentro.

Repolho verde com hortelã

Cozimento: 20 minutos
Preparo: 20 minutos
Rendimento: 2 porções

INGREDIENTES:

• ½ repolho verde • 1 maço de hortelã fresca • 1 dente de alho picado • 1 limão • 1 pitada de sal

Lave e corte o repolho e a hortelã grosseiramente. Refogue o alho e o sal em uma panela com 500ml de água e cozinhe por 20 minutos.

Coração de palmito "frito"

Cozimento: 10 minutos
Preparo: 15 minutos
Rendimento: 2 porções

INGREDIENTES:

• 1 vidro de palmito • 1 cebola cortada à julienne • 100g de broto de soja • 1 dente de alho picado • Sal • 1 cubo de caldo de legumes diluído em 100ml de água morna

Lave e drene o palmito. Corte à julienne. Em uma frigideira antiaderente, refogue o palmito, a cebola, o alho e o broto de soja (lavado) no caldo de legumes por 10 minutos.

Jiló com tomate verde e coentro

Cozimento: 30 minutos
Preparo: 20 minutos
Rendimento: 4 pessoas

INGREDIENTES:

• 8 jilós cortados em 4 fatias • 4 tomates verdes, cortados em 4 fatias • 1 maço de coentro picado • 1 cebola roxa cortada à julienne • Sal • 1 cubo de caldo de legumes diluído em 200ml de água morna • 1 colher de chá de urucum

Lave e corte os vegetais como indicado. Em seguida, frite-os com uma colher de chá de urucum no caldo de legumes e deixe cozinhar por 30 minutos.

As sobremesas

Bolo de ervas da primavera

Preparo: 10 minutos
Cozimento: 30 minutos
Rendimento: 2 porções

INGREDIENTES:

• 50g de azedinhas • 50g de manjericão fresco • 50g de dente-de-leão • 500g de queijo cottage com 0% de gordura • 1 colher de sopa de leite desnatado • 2 ovos • 1 pitada de canela

Lave e seque as ervas e pique bem.

Em um recipiente, bata o queijo cottage, o leite desnatado e os ovos até obter um creme homogêneo. Adicione as ervas, a canela, sal e pimenta-do-reino. Transfira a massa para uma forma de bolo. Leve ao forno por 30 minutos, a 180 graus. Sirva quente ou morno.

Ovos nevados

Preparo: 20 minutos
Cozimento: 10 minutos
Rendimento: 2 porções

INGREDIENTES:

• 250ml de leite desnatado • 2 ovos • 1 colher de sopa de adoçante líquido

Ferva o leite. Bata as gemas dos ovos e adicione o adoçante. Incorpore aos poucos ao leite fervido.

Esquente em fogo brando, mexendo sem parar com uma colher de pau e raspando bem o fundo. Assim que o creme engrossar, retire a panela do fogo. Não deixe ferver, pois o creme pode ficar muito líquido.

Em seguida, bata as claras em neve, até que fiquem bem firmes. Com uma colher de sopa, faça bolas de clara em neve e coloque em uma panela com água fervente. Assim que as claras incharem, retire com uma escumadeira e escorra em um pano de prato.

Quando o creme de gemas estiver frio, adicione as claras em neve e sirva.

Ovos ao leite

Preparo: 10 minutos
Cozimento: 40 minutos
Rendimento: 2 porções

INGREDIENTES:

• 500ml de leite desnatado • 60g de adoçante líquido • 1 fava de baunilha • 4 ovos

Ferva o leite com o adoçante e a baunilha, previamente cortada em duas, no sentido do comprimento, e sem as sementes.

Em um recipiente, bata os ovos para formar uma omelete.

Retire a baunilha do leite e acrescente aos poucos o leite quente sobre os ovos batidos, mexendo sem parar.

Transfira a mistura para um prato que pode ir ao forno e cozinhe por 40 minutos em banho-maria, no forno preaquecido a 220 graus.

Sirva frio.

Doce de abóbora

Preparo: 10 minutos
Cozimento: 30 minutos
Rendimento: 6 porções

INGREDIENTES:

• 500g de abóbora para doce cortada em cubos • 4 a 6 colheres de sopa de adoçante culinário • Cravo e canela em pau a gosto

Coloque os cubos de abóbora para cozinhar em água com os cravos e a canela em pau. Quando a abóbora estiver quase pronta, acrescente o adoçante e prove para conferir a quantidade de adoçante. Para que a abóbora permaneça em cubos, deixe no fogo por menos tempo. Se preferir desfiada, deixe cozinhar por mais tempo. Escorra a água e desfie com a ajuda de um garfo. Pode ser servida quente com queijo branco 0% de gordura ou requeijão com 0% de gordura.

Receita criada por Luiza Nadal

Geleia de goji berry

Preparo: 5 minutos
Cozimento: 15 minutos
Rendimento: 4 porções

INGREDIENTES:

• 8 colheres de sopa de goji berry • 600ml de água • 1 caixa de gelatina zero açúcar sabor morango • Gotas e raspas de limão siciliano • 1 pitada de noz-moscada moída na hora

Lave as goji berries em água corrente. Coloque os 600ml de água e as goji berries em uma panela e leve ao fogo para cozinhar em fogo baixo, com a tampa semiaberta, até reduzir um pouco a água e as gojis ficarem macias e quase desmanchando. Acrescente a gelatina, as gotas e raspas de limão siciliano e a noz-moscada e desligue o fogo. Depois de pronta a geleia dura 2 dias fora da geladeira. Se colocada na geladeira, ela endurecerá, então é só levar ao micro-ondas por alguns segundos.

Receita criada por Luiza Nadal

Gelatina com mousse de "leite condensado"

Preparo: 15 minutos
Cozimento: 5 minutos
Rendimento: 6 porções

INGREDIENTES:

• 3 iogurtes desnatados • 1 copo de leite desnatado • 8 colheres de sopa de leite em pó desnatado • 3 polenguinhos light • 1 envelope de gelatina sem sabor • 4 a 6 sachês de adoçante • 1 caixa de gelatina zero açúcar com sabor de sua preferência • 400ml de água

Dissolva a gelatina sem sabor conforme as instruções da embalagem e reserve. Batas os iogurtes, o leite desnatado, o leite em pó, os polenguinhos e o adoçante e então acrescente a gelatina. Bata até obter muita espuma. Coloque em uma forma e leve à geladeira por 20 a 30 minutos. Dissolva a gelatina com o sabor escolhido e espere esfriar um pouco. Coloque a gelatina dissolvida por cima da mousse e leve novamente à geladeira. Para um melhor resultado, deixe na geladeira de um dia para o outro, assim ela ficará mais firme e desenformará mais facilmente.

Receita criada por Luiza Nadal

Mousse de maracujá

Preparo: 10 minutos
Cozimento: 15 minutos
Rendimento: 6 porções

INGREDIENTES:

• 500ml de água • 5 colheres de sopa de leite em pó desnatado • 1 colher de sopa de amido de milho • 2 ou 3 sucos Clight light sabor maracujá • 4 claras em neve

Coloque a água numa panela com o leite em pó e o amido de milho para obter um mingau firme. Leve à geladeira. Depois de frio, acrescente os envelopes de Clight light (3 envelopes para um sabor mais acentuado; 2 envelopes para um sabor mais suave). Bata as claras em neve e acrescente delicadamente com uma espátula. Leve à geladeira por algumas horas. A consistência final é a de uma espuma fofinha, não gelatinosa.

Receita criada por Luiza Nadal

Bolo mousse de chocolate

Preparo: 30 minutos
Cozimento: 15 minutos
Rendimento: 6 porções

INGREDIENTES:

• 1 gema • 1 clara • 1½ colher de sopa de amido de milho • 1 colher de sopa de leite desnatado • 1 colher de sopa de adoçante culinário • 1 colher de chá rasa de fermento em pó • 2 colheres de chá de cacau em pó sem açúcar • 60ml de leite desnatado • 1 colher de café de cacau em pó sem açúcar

MOUSSE DE CHOCOLATE:

• 300ml de leite desnatado • 1 colher de sopa de amido de milho • 3 colheres de chá de cacau em pó sem açúcar • 1 colher de sopa de adoçante culinário • 3 claras

Bata todos os ingredientes do bolo e leve ao forno em uma forma de fundo removível a 160 graus. Quando sair do forno, fure o bolo com um garfo e regue com a mistura de 60ml de leite desnatado e 1 colher de café de cacau em pó sem açúcar. Coloque os ingredientes da mousse em uma panela e faça um mingau pastoso e firme. Deixe esfriar. Depois de frio, bata as claras em neve firme e misture delicadamente com o mingau. Despeje a mousse por cima da massa do bolo e leve ao freezer por 30 minutos. Mantenha na geladeira até a hora de servir.

Receita criada por Luiza Nadal

Bolo de café com cobertura de "leite condensado"

Preparo: 15 minutos
Cozimento: 30 minutos
Rendimento: 4 porções

INGREDIENTES:

• 6 colheres de sopa cheias de farelo de aveia • 2 colheres de sopa rasas de farelo de trigo • 5 colheres de sopa de leite em pó desnatado • 4 ou 5 colheres de sopa de adoçante culinário • 2 gemas • 3 claras • 120ml de leite desnatado • 3 colheres de sopa de café solúvel • 1 colher de chá de cacau em pó sem açúcar • 3 colheres de sopa de iogurte desnatado • 1 colher de sobremesa de fermento em pó químico • Grãos de café para decorar

"LEITE CONDENSADO":

• 6 colheres de sopa de leite em pó desnatado • 100ml de água • 4 sachês de adoçante

Triture os farelos no mixer para a massa ficar mais leve. Dissolva o café e o cacau no leite e reserve. Coloque as gemas peneiradas na batedeira com um pouco de leite e deixe bater por alguns minutos. Acrescente o restante dos ingredientes e por último o fermento. Bata as claras em neve e misture delicadamente a massa com a ajuda de uma espátula.

Despeje a massa em uma forma de silicone. Asse em forno a 180 graus.

Para o "leite condensado", misture o leite em pó e o adoçante e vá adicionando água aos poucos. Ajuste a quantidade de água e adoçante de acordo com a sua preferência (creme mais líquido ou mais espesso). Quando o bolo estiver assado, faça furos com um garfo e regue com um pouco do "leite condensado".

Receita criada por Luiza Nadal

Bolo Califórnia

Preparo: 15 minutos
Cozimento: 40 minutos
Rendimento: 4 porções

INGREDIENTES:

• 6 colheres de sopa de farelo de aveia • 3 colheres de sopa de farelo de trigo • 5 colheres de leite em pó desnatado • 3 ovos • 2 iogurtes desnatados • 5 colheres de adoçante culinário • 2 colheres de amido de milho • 2 colheres de sopa rasas de cacau em pó sem açúcar • 1 colher de chá de bicarbonato de sódio • 2 colheres de chá de fermento em pó

Bata bem as gemas e acrescente, nesta mesma ordem, o leite em pó, os iogurtes, os farelos de aveia e de trigo, o amido de milho, o bicarbonato e o fermento em pó. Bata as claras em neve firme e misture delicadamente à massa. Divida a massa em duas partes e a uma delas acrescente o cacau em pó. Despeje a parte da massa com o cacau em uma forma de silicone e depois a outra parte. Leve ao forno a 180 graus por 40 minutos.

Receita criada por Luiza Nadal

Bolo pão de mel

Preparo: 30 minutos
Cozimento: 40 minutos
Rendimento: 4 porções

INGREDIENTES:

• 7 colheres de sopa de farelo de aveia • 2 colheres de sopa de farelo de trigo • 1 colher de sopa de amido de milho • 5 colheres de sopa de leite em pó • 4 colheres de sopa de requeijão cremoso com 0% de gordura • 5 colheres de sopa rasas de adoçante culinário • 1 colher de chá de fermento em pó químico • 1 colher de chá de bicarbonato de sódio • 300ml de Coca-Cola Zero • 3 gemas • 4 claras • 1 colher de sobremesa de cacau em pó sem açúcar • 1 colher de chá de canela em pó • 1 colher de café de essência de mel

CALDA:

• 300ml de leite desnatado • 1 colher de sopa rasa de amido de milho • 2 colheres de sobremesa de cacau em pó sem açúcar • 2 colheres de sopa de adoçante culinário

Bata as gemas peneiradas e o requeijão até formar um creme. Acrescente a Coca-Cola Zero e os ingredientes secos. Bata as claras em neve e acrescente à mistura, mexendo delicadamente. Despeje a massa em uma forma de fundo removível. Asse em forno a 160 graus por aproximadamente 40 minutos. Enquanto isso, leve os ingredientes da calda ao fogo e mexa até obter a consistência de um mingau cremoso. Quando o bolo estiver assado, faça furos com um garfo e regue com leite desnatado misturado com um pouco de cacau em pó.

Receita criada por Luiza Nadal

Bolo zebra de chocolate

Preparo: 15 minutos
Cozimento: 40 minutos
Rendimento: 4 porções

INGREDIENTES:

• 8 colheres de sopa de farelo de aveia • 3 colheres de sopa de farelo de trigo • 5 colheres de sopa de leite em pó desnatado • 4 colheres de sopa de adoçante culinário • 1 colher de sopa de amido de milho • 3 gemas • 4 claras • 2 iogurtes desnatados • 50ml de leite desnatado • 1½ colher de chá de fermento em pó químico • 2 colheres de sobremesa de cacau em pó sem açúcar

Bata as gemas peneiradas e o leite desnatado. Acrescente os iogurtes, os ingredientes secos e por último acrescente delicadamente as claras em neve. Separe a massa em duas partes iguais e em uma das partes acrescente o cacau em pó. Coloque a massa numa forma antiaderente com o fundo removível da seguinte maneira: duas colheres de sopa da massa branca no centro da forma, duas colheres de massa com o cacau no centro da massa branca e assim sucessivamente, de forma que as massas formem anéis brancos e pretos. Quando mais vezes intercalar as massas, mais "zebrado" ficará o bolo.

Receita criada por Luiza Nadal

Bolo preguiça

Preparo: 10 minutos
Cozimento: 20 minutos
Rendimento: 2 porções

INGREDIENTES:

• 2 ovos inteiros • 1 colher de sopa de leite em pó desnatado • 2 colheres de sopa cheias de farelo de aveia • 2 colheres de sopa rasas de farelo de trigo • 2½ colheres de sopa de adoçante culinário • 6 colheres de sopa cheias de iogurte desnatado • 2 colheres de sobremesa rasas de cacau em pó sem açúcar • 1 colher de chá cheia de bicarbonato de sódio • 1½ colher de chá de fermento em pó

Bata bem os ovos e o leite em pó. Acrescente o iogurte e os demais ingredientes na seguinte ordem: os farelos, o adoçante, o cacau, o bicarbonato e por último o fermento em pó. Bata até que a massa forme espuma. A massa deverá ter a consistência líquida, parecida com a de uma mousse mole. Despeje em refratários individuais. Leve ao forno a 160 graus. Quando começar a crescer, espere um pouco e vá espetando a massa com um palito para saber se o bolo está pronto.

Receita criada por Luiza Nadal

Rosquinhas de erva-doce

Preparo: 10 minutos
Cozimento: 20 minutos
Rendimento: 2 porções

INGREDIENTES:

• 4 colheres de sopa cheias de farelo de aveia • 2 colheres de sopa rasas de amido de milho • 3 colheres de sopa de leite em pó desnatado • 4 colheres de sopa de adoçante culinário • 1½ colher de sopa de iogurte desnatado • 2 gemas de ovos caipiras • 3 claras de ovos caipiras • 1 colher de chá rasa de fermento em pó químico • 1 colher de sobremesa cheia de erva-doce

Triture o farelo de aveia no mixer, acrescente as gemas e as claras e o restante dos ingredientes. Obtenha uma massa firme como um mingau bem grosso, veja se a massa precisa de mais um pouco de aveia ou iogurte, coloque o fermento e misture com uma espátula. Adicione a erva-doce e espere uns 10 minutos para a massa descansar e aromatizar. Leve ao forno a 160 graus. Se preferir a rosquinha macia, deixe menos tempo no forno. Se quiser mais crocante deixe por mais tempo. O tempo de forno é de aproximadamente 15 minutos. Levante as rosquinhas com um palito e veja se o fundo já está dourado.

Receita criada por Luiza Nadal

Os molhos 

Molho de chalotas

Preparo: 10 minutos
Cozimento: 10 minutos
Rendimento: 10 porções

INGREDIENTES:

• 12 chalotas • 120ml de vinagre • 13 colheres de sopa de leite desnatado • 1 gema de ovo • Sal, pimenta-do-reino

Descasque e pique as chalotas e, em seguida, coloque-as em uma panela com o vinagre. Ferva durante 10 minutos.

Retire a panela do fogo, adicione o leite e a gema de ovo batida, mexendo energicamente. Tempere. Sirva imediatamente.

Molho de queijo cottage

Preparo: 10 minutos
Sem cozimento
Rendimento: 2 porções

INGREDIENTES:

• 100g de queijo cottage com 0% de gordura • ½ limão • 2 cebolas pequenas • ½ bulbo de erva-doce • 1 colher de manjericão (ou salsa) • Sal, pimenta-do-reino

Misture o queijo cottage com o suco de limão. Tempere com sal e pimenta-do-reino.

Adicione duas cebolas descascadas e picadas em pedaços bem pequenos, o bulbo de erva-doce e o manjericão também bem picados. Misture bem e leve à geladeira até a hora de servir.

Molho de pimentão

Preparo: 15 minutos
Sem cozimento
Rendimento: 2 porções

INGREDIENTES:

• 1 pimentão vermelho • 1 dente de alho • ½ cebola • 1 pimenta pequena • 1 limão • Algumas gotas de tabasco • Sal, pimenta-do-reino

Lave os pimentões retirando as sementes e, em seguida, corte-os em fatias finas. Descasque e pique o alho e a cebola. Lave a pimenta e corte em pedaços pequenos. Esprema o limão. Misture bem todos os ingredientes, tempere com sal e adicione algumas gotas de tabasco. Leve à geladeira por pelo menos 1 hora antes de servir.

Molho de açafrão

Preparo: 2 minutos
Sem cozimento
Rendimento: 2 porções

INGREDIENTES:

• 1 colher de café de amido de milho • 1 concha de caldo de peixe • 1 pitada de açafrão • Sal, pimenta-do-reino

Dissolva o amido de milho no caldo de peixe, à temperatura ambiente, e, em seguida, adicione o açafrão.

Tempere com sal e pimenta-do-reino.

Molho de alcaparras

Preparo: 10 minutos
Cozimento: 15 minutos
Rendimento: 5 porções

INGREDIENTES:

• 2 colheres de sopa de extrato de tomate • 4 colheres de sopa de leite desnatado • 7 picles pequenos • 12 alcaparras • Sal, pimenta-do-reino

Misture o extrato de tomate e o leite. Adicione 100ml de água e os picles picados. Ferva durante 15 minutos e, em seguida, adicione o sal, a pimenta-do-reino e as alcaparras.

Sirva imediatamente.

Molho de espinafre

Preparo: 10 minutos
Sem cozimento
Rendimento: 4 porções

INGREDIENTES:

• 100g de espinafre • 2 colheres de sopa de iogurte com 0% de gordura • 200ml de caldo de galinha sem gordura • 1 pitada de noz-moscada ralada • Sal

Lave o espinafre e cozinhe em água fervente e salgada. Escorra e bata no liquidificador. Adicione o iogurte e, em seguida, incorpore o caldo de galinha.

Esquente por um minuto em fogo alto. Adicione o sal e a noz-moscada ralada.

Molho de ervas finas

Preparo: 15 minutos
Cozimento: 2 minutos
Rendimento: 2 porções

INGREDIENTES:

• 3 ramos de salsa • 3 pitadas de estragão • 4 caules de cebolinha • 2 dentes de alho • 2 chalotas • 2 colheres de café de amido de milho • 2 colheres de sopa de requeijão com 0% de gordura • Sal, pimenta-do-reino

Pique bem todas as ervas, o alho e a chalota.

Dilua o amido de milho em 100ml de água e incorpore o alho e a chalota ao requeijão.

Esquente em fogo brando durante 2 minutos e, no último momento, adicione as ervas finas. Tempere com sal e pimenta-do-reino.

Molho bechamel

Preparo: 6 minutos
Cozimento: 4 a 5 minutos
Rendimento: 4 porções

INGREDIENTES:

• 40g de amido de milho • 500ml de leite desnatado • 1 pitada de noz-moscada • Sal, pimenta-do-reino

Dissolva o amido de milho no leite frio aos poucos, em uma panela, com a ajuda de um batedor de ovos. Cozinhe em fogo brando, para que o molho engrosse, mexendo com uma espátula.

Tempere com sal, pimenta-do-reino e noz-moscada.

Molho branco

Preparo: 15 minutos
Cozimento: 3 minutos
Rendimento: 3 porções

INGREDIENTES:

• 250ml de caldo de galinha • 2 colheres de sopa de leite desnatado • 1 colher de sopa de amido de milho • 1 pitada de noz-moscada • Sal, pimenta-do-reino

Misture o caldo de galinha frio e o leite. Dissolva o amido de milho aos poucos nesse líquido.

Leve ao fogo brando até que o molho engrosse, mexendo devagar com uma espátula de madeira. Em seguida, retire do fogo e tempere com sal e pimenta-do-reino.

Adicione a noz-moscada ralada.

Molho chinês

Preparo: 15 minutos
Sem cozimento
Rendimento: 2 porções

INGREDIENTES:

• 1 cebola • 1 colher de café de vinagre de álcool • 1 colher de café de mostarda • 1 pitada de gengibre picado • 1 limão • Sal, pimenta-do-reino

Pique a cebola em pedaços bem pequenos. Misture o vinagre, a mostarda e o gengibre picado. Adicione o suco de limão e a cebola, mexendo com uma colher.

Tempere com sal e pimenta-do-reino.

Molho de cebolinha e limão

Preparo: 10 minutos
Cozimento: 5 minutos
Rendimento: 4 porções

INGREDIENTES:

• 125 ml de leite desnatado • 90g de creme de leite com 5% de gordura • 4 colheres de café de amido de milho • 1 maço de cebolinha • 1 limão • 1 colher de sopa de pimenta-do-reino em grão • Sal

Esquente o leite e o creme de leite em uma panela, mexendo com uma colher. Tempere com sal. Adicione o amido de milho e ferva a mistura.

Pique a cebolinha e misture com o suco de limão. Tempere com sal e pimenta-do-reino em grãos.

Molho de limão

Preparo: 10 minutos
Sem cozimento
Rendimento: 4 porções

INGREDIENTES:

• ½ limão • 1 iogurte com 0% de gordura • 1 maço de cebolinha • Sal, pimenta-do-reino

Esprema a metade do limão para obter o suco e misture ao iogurte. Corte a cebolinha bem fina e adicione à mistura. Tempere com sal e pimenta-do-reino.

Molho curry

Preparo: 10 minutos
Sem cozimento
Rendimento: 4 porções

INGREDIENTES:

• 1 ovo • ½ cebola • 1 colher de café de curry • 1 iogurte com 0% de gordura

Cozinhe o ovo durante 10 minutos em água fervente. Descasque e retire a gema. Descasque e corte a cebola em pedaços bem pequenos. Misture à gema de ovo esmagada com um garfo e com o curry.

Incorpore o iogurte aos poucos, mexendo sempre.

Molho de páprica com pimentão

Preparo: 15 minutos
Cozimento: 40 minutos
Rendimento: 8 porções

INGREDIENTES:

• 4 tomates • 1 pimentão vermelho • 1 pimentão amarelo • 1 cebola • 1 colher de café de adoçante culinário • 100ml de vinagre de vinho • 1 pitada de páprica • Sal, pimenta-do-reino

Lave os tomates e os pimentões. Retire os grãos e descasque os legumes. Descasque a cebola. Triture todos os ingredientes em uma centrífuga.

Filtre e transfira o molho para uma panela. Cozinhe em fogo brando durante 40 minutos, sem tampa.

Molho grelette

Preparo: 10 minutos
Sem cozimento
Rendimento: 6 porções

INGREDIENTES:

• 4 tomates frescos • 100g de queijo cottage com 0% de gordura • 5 chalotas descascadas e picadas • suco de 1 limão • Sal, pimenta-do-reino

Cozinhe os tomates em água fervente durante 30 segundos e descasque-os. Bata todos os ingredientes no liquidificador. Tempere e sirva bem frio.

Molho holandês

Preparo: 15 minutos
Cozimento: 5 minutos
Rendimento: 2 porções

INGREDIENTES:

• 1 ovo • 1 colner de café de mostarda • 1 colher de sopa de leite desnatado • 1 colher de café de suco de limão • Sal, pimenta-do-reino

Separe a gema da clara do ovo. Em um recipiente em banho-maria, coloque a gema do ovo, a mostarda, o leite e bata vigorosamente, até que o molho engrosse. Retire do fogo, sem deixar de bater, e adicione o suco do limão e a pimenta-do-reino.

Bata a clara em neve e incorpore-a delicadamente à mistura.

Molho de Lyon

Preparo: 10 minutos
Sem cozimento
Rendimento: 5 porções

INGREDIENTES:

• 1 dente de alho • 1 chalota • 120g de queijo cottage com 0% de gordura • 1 colher de sopa de vinagre de vinho • Sal, pimenta-do-reino

Descasque e pique o alho e a chalota em pedaços bem pequenos.

Bata o queijo cottage com o vinagre. Tempere com sal e pimenta-do-reino. Adicione o alho e a chalota, batendo bem até obter uma mistura homogênea.

Molho de mostarda

Preparo: 10 minutos
Cozimento: 5 minutos
Rendimento: 8 porções

INGREDIENTES:

• 2 colheres de café de amido de milho • 1 gema de ovo cozida • 2 colheres de café de vinagre • 2 colheres de café de mostarda • 1 pouco de ervas finas

Cozinhe o amido de milho em 200ml de água e deixe esfriando.

Incorpore a gema do ovo amassada ao vinagre e à mostarda. Ao final, adicione as ervas finas e tempere com sal e pimenta-do-reino.

Se o molho não parecer líquido o bastante, adicione vinagre.

Molho português

Preparo: 10 minutos
Cozimento: 30 minutos
Rendimento: 6 porções

INGREDIENTES:

• 8 tomates • 6 dentes de alho • 2 cebolas médias • 2 folhas de louro • Ervas finas • 1 colher de sopa de extrato de tomate • 1 pimentão verde • Sal, pimenta-do-reino

Cozinhe os tomates com o alho triturado, as cebolas picadas, as folhas de louro e as ervas finas. Tempere com sal, pimenta-do-reino e cozinhe durante 10 minutos em fogo alto.

Adicione o extrato de tomate, o pimentão cortado em fatias finas e reduza o fogo durante cerca de 20 minutos.

Retire as folhas de louro e bata tudo no liquidificador. Adicione uma pitada de pimenta, a gosto.

Index de receitas

A

Abóbora com carne-seca, 113
Abobrinha à moda camponesa, 161
Abobrinha com molho de tomate, 162
Abobrinha recheada, 110
Acelga com tofu, 157
Almôndegas de carne com ervas, 49
Aperitivo de presunto, 49
Aperitivo diet, 127
Asas de frango crocantes, 35
Assado de bacalhau fresco com abobrinhas e tomates, 142
Atum com três pimentões, 153
Atum grelhado, 69

B

Bacalhau espiritual, 126
Bacalhau fresco com açafrão, 130
Bacalhau fresco com curry, 59
Bacalhau fresco com ervas, 129
Bacalhau fresco na caçarola, 130
Bavaroise de requeijão com baunilha, 73
Berinjelas à moda indiana, 154
Berinjelas à moda provençal, 156
Berinjelas com alho e salsa, 154
Berinjelas com coentro, 155
Bife a rolê com legumes, 112
Bife bourguignon, 108
Biscoito de queijo, 57
Bobó de camarão, 126
Bolo Califórnia, 188
Bolo de banana, 82
Bolo de café com cobertura de "leite condensado", 187
Bolo de ervas da primavera, 183
Bolo de ricota e goji berry, 83
Bolo mousse de chocolate, 186
Bolo pão de mel, 189
Bolo preguiça, 190
Bolo zebra de chocolate, 190

C

Caldo de legumes da Eugénie, 157
Caldo de siri com vegetais, 129

Camarão com chuchu e ervas, 134
Camarões à moda mexicana, 146
Camarões com tomate, 132
Carne atada, 106
Carne com berinjelas, 107
Carne com pimentões, 107
Carne louca, 110
Carne-seca com chuchu, 113
Carne-seca com jiló, 111
Casquinha de siri, 128
Chips de tomate com
páprica, 159
Chuchu ao creme, 180
Chuchu gratinado com ricota, 179
Cogumelos à moda grega, 158
Cookies, 76
Coquetel garden-party, 160
Coquetel vitalidade, 161
Coração de palmito "frito", 182
Couve-flor no vapor, 160
Coxas de frango em papelotes, 40
Coxas de peru com
pimentões, 92
Cozido de bacalhau fresco à
moda provençal, 131
Cozido de berinjela, 164
Cozido de carne com dois
pimentões, 115
Creme batido, 79
Creme de atum, 150
Creme de baunilha, 79
Creme de café, 77
Creme de couve-flor com
açafrão, 162
Creme de especiarias, 77
Creme japonês, 79
Crepes de caranguejo, 59
Croquetes de abobrinha, 118
Curry de pepino, 163

D

Doce de abóbora, 184
Dourado com crosta de sal, 60
Dourado em papelotes com
compota de chalota, 152
Dourado refinado, 60

E

Empadinhas de frango
defumado, 90
Enroladinhos de carne moída
com legumes, 108
Enroladinhos de pepino com
camarão, 143
Enroladinhos de presunto, 116
Enroladinhos de presunto com
ervas finas, 116
Enroladinhos de salmão, 143
Enroladinhos de salmão
defumado, 65
Ensopado de jiló, 179
Escalopes de frango ao curry e ao
iogurte, 42
Escalopes de frango tandoori, 41
Escalopes de peru em
papelotes, 40
Escalopes de salmão assados
com molho de mostarda, 61
Espetinho de carne Turgloff, 109
Espetinhos de frango com
mostarda, 37
Espetinhos tikka, 90
Espetos de coração de galinha
com ervas, 105
Espetos de frango temperado, 39
Espetos de frango marinado, 91
Espetos de frango no iogurte, 39
Espinafres tricolores, 163

F
Fatias cruas de atum, 64
Fatias de salmão com alho-poró, 133
Fígado de galinha com ervas, 104
Filé bovino à cassarola, 51
Filé de bacalhau fresco com chalotas e mostarda, 62
Filé de bacalhau fresco na caçarola, 113
Filé de badejo à moda indiana, 62
Filé de badejo à moda normanda, 63
Filé de linguado, 63
Filé de linguado com azedinhas, 64
Filé de robalo no vapor com menta e canela, 61
Folhado de berinjela à moda de Creta, 112
Fondue chinês, 134
Fondue de abobrinha com lagostas, 135
Fraldinha marinada na Coca-Cola Zero, 50
Frango à basquaise, 100
Frango à moda indiana, 43
Frango à moda provençal, 102
Frango ao estragão com funghi, 98
Frango com ervas aromáticas, 98
Frango com gengibre, 43
Frango com iogurte, 44
Frango com limão, 45
Frango com limão e molho curry com gengibre, 97
Frango com limão e tomates-cereja, 92
Frango com maxixe, 103
Frango com pimentões, 99
Frango com quiabo, 96
Frango com tomilho, 44
Frango escaldado com molho leve de ervas frescas, 101
Frango Marengo, 100
Frango na erva-doce, 42
Frango no limão em crosta de sal, 39
Frango tandoori, 46
Fricassê de frango à moda da Martinica, 93
Fricassê de frango com cogumelos e aspargos, 93
Frichti de carne e abobrinha, 114
Fritada de atum com abobrinha, 120
Fritada de kani e camarão com champignon, 139

G
Gelatina com mousse de "leite condensado", 185
Gelatina colorida, 74
Geleia de amêndoas, 83
Granitado de café com canela, 84
Geleia de goji berry, 185

H
Hambúrguer à moda húngara, 118
Hambúrguer à moda mexicana, 117

J
Jiló com tomate verde e coentro, 182

L
Linguado cru com molho de tomate, 147
Lulas à moda provençal, 149

M
Manjar, 75
Masala de robalo, 135
Medalhão de peru, 96
Mexido de salmão defumado, 51
Mil-folhas de chuchu ao molho de tomate, 180
Molho bechamel, 195
Molho branco, 196
Molho chinês, 196
Molho curry, 198
Molho de açafrão, 193
Molho de alcaparras, 194
Molho de cebolinha e limão, 197
Molho de chalotas, 192
Molho de ervas finas, 195
Molho de espinafre, 194
Molho de limão, 197
Molho de Lyon, 200
Molho de mostarda, 200
Molho de páprica com pimentão, 198
Molho de pimentão, 193
Molho de queijo cottage, 192
Molho grelette, 199
Molho holandês, 199
Molho português, 201
Mousse de brócolis com kani, 136
Mousse de iogurte com canela, 85
Mousse de limão, 85
Mousse de maracujá, 186
Mousse de pepino, 164
Mousse de pimentão, 165
Mousse de salmão defumado, 137
Mousse-sorvete de limão, 86
Muffins, 86

N
Nhoque de ricota e espinafre, 156
Ninho de tomates, 125

O
Omelete com tofu, 54
Omelete de atum, 54
Ovos ao leite, 184
Ovos cozidos ao curry, 53
Ovos em minicaçarolas com salmão, 53
Ovos lorrains, 121
Ovos mexidos, 52
Ovos mexidos com caranguejo, 52
Ovos nevados, 183

P
Palmito pupunha com molho, 158
Panetone de goji berry, 81
Panqueca de presunto, 72
Panqueca de requeijão, 70
Panqueca doce, 71
Panquecas salgadas, 70
Pão de hambúrguer, 56
Pão de queijo, 57
Papelotes de frango com abobrinha, 95
Papelotes de salmão com legumes, 137
Peito de frango e jiló, 103
Peito de frango recheado, 94

Peito de peru com
alho-poró, 89
Peito de peru em papelotes, 36
Peixe gratinado, 139
Peixe no forno, 65
Peixe no papelote, 140
Pepino recheado com atum, 132
Pequenos pudins de
caranguejo, 55
Pescada recheada, 131
Picadinho de carne com
couve-flor, 114
Pizza Dukan marguerita, 55
Pizza de atum, 72
Polpetone assado, 50
Postas de salmão com
menta, 138
Potinhos de peixe com molho de
tomate, 141
Pudim, 80
Pudim de baunilha, 78
Pudim de berinjela, 122
Pudim de creme, 81
Pudim de legumes, 119
Pudim de legumes à moda
provençal, 119
Pudim de framboesa com goji
berry, 76
Pudim moleza, 75
Purê de abobrinha ou
berinjela, 169

Q

Queijo branco com pepino, 121
Quiche, 56
Quiche de shimeji e shitake, 156
Quiche sem massa de atum e
tomate, 140

R

Ragu de mexilhão com
alho-poró, 141
Repolho verde com hortelã, 181
Rosquinhas de canela, 84
Rosquinhas de erva-doce, 191

S

Salada de berinjela, 169
Salada de camarão, 144
Salada de espinafre com peixe
defumado, 144
Salada de iogurte com ervas 117
Salada de salsa, 170
Salada do pastor, 170
Salmão com erva-doce e alho-
poró, 145
Salmão com salsa verde e
tomates-cereja, 146
Salmão gourmand, 145
Salmão recheado, 66
Salpicão de frango, 95
Sauté de frango com
pimenta, 46
Sobremesa Lisaline, 80
Sopa acidulada, 165
Sopa cremosa de erva-doce, 166
Sopa de berinjela com curry
vermelho, 167
Sopa de camarão e pepino com
coentro, 148
Sopa de cenoura, erva-doce e
tomilho, 171
Sopa de erva-doce, 172
Sopa de frango com
cogumelos, 102
Sopa de limão à moda grega, 171
Sopa de nabo com curry, 168

Sopa de pepino com
pimentão, 172
Sopa de pepino, 173
Sopa gelada de pepino com
camarões-rosa, 147
Sopa gelada de tomate, 173
Sopa verde de azedinhas, 123
Sorvete de chá, 87
Sorvete de iogurte, 88
Sorvete de limão, 87
Strogonoff de carne, 111
Strogonoff de frango, 104
Suflê de cogumelos, 122
Suflê de fígado de galinha, 47
Suflê de pepino com
manjericão, 123
Suflê de queijo e alho-poró, 166
Sushi de presunto de frango ao
kani, 37

T

Tajine de abobrinha, 174
Tartár de atum, 67
Tartár de badejo com limões, 67
Tartár de camarão 66
Tartár de dourado
apimentado, 152
Tartár de salmão, 128
Tatziki, 174
Terrina de alho-poró, 175
Terrina de atum, 69
Terrina de badejo, 68
Terrina de berinjela, 175
Terrina de frango, 48
Terrina de frango ao estragão, 105
Terrina de frutos do mar, 68
Terrina de inverno, 151
Terrina de peixe com
cebolinha, 150
Terrina de pepino e salmão
defumado, 148
Terrina jardineira, 176
Terrina rápida, 153
Tian à moda provençal, 176
Tomates salsa, 177
Torta de canela, 73
Torta de frango, 36
Torta de legumes, 124
"Torta" de limão, 88
Torta flambada alsaciana, 125
Tortilha de abobrinha e
tomate, 178
Tortilha de espinafre, 178
Trança de linguado e salmão, 58

V

Vegetais verdes com coentro e
salsa, 181

Agradecimentos

Agradeço a Roland Chotard, um dos chefs mais reconhecidos de Yvelines que, em troca de trinta quilos perdidos graças à leitura de *Eu não consigo emagrecer,* ofereceu-me sua releitura pessoal de minhas receitas, com o toque de graça de sua inventividade, seu profissionalismo e, talvez mais ainda, seu desejo de emagrecer em um contexto de exuberância gastronômica.

Agradeço também a Gaël Boulet, formador de chefs na escola de Alain Ducasse, por seus preciosos conselhos sobre a grande arte da culinária com adaptações simples, como trocar o gosto da gordura pelo de ervas aromáticas.

Saiba mais sobre a Dieta Dukan em:

www.dietadukan.com.br

Este livro foi composto na tipologia ITC Cheltenham Std,
em corpo 10,5/15, e impresso em papel off-white,
no Sistema Cameron da Divisão Gráfica
da Distribuidora Record.